Chroniques
du ciel et de la vie

Hubert Reeves

Chroniques du ciel et de la vie

Éditions du Seuil - France Culture
27, rue Jacob, Paris VIe

ISBN 2-02-080030-6

www.seuil.com
www.franceculture.com

Terre, planète bleue

Terre, planète bleue, où des astronomes exaltés capturent la lumière des étoiles aux confins de l'espace.

Terre, planète bleue, où un cosmonaute, au hublot de sa navette, nomme les continents des géographies de son enfance.

Terre, planète bleue, où un asphodèle germe dans les entrailles d'un migrateur mort d'épuisement sur un rocher de haute mer.

Terre, planète bleue, où un dictateur fête Noël en famille alors que, par milliers, des corps brûlent dans les fours crématoires.

Terre, planète bleue, où, décroché avec fracas de la banquise polaire, un iceberg bleuté entreprend son long périple océanique.

Terre, planète bleue, où, dans une gare de banlieue, une famille attend un prisonnier politique séquestré depuis vingt ans.

Terre, planète bleue, où à chaque printemps le Soleil ramène les fleurs dans les sous-bois obscurs.

Terre, planète bleue, où seize familles ont accumulé plus de richesses que quarante-huit pays démunis.

Terre, planète bleue, où un orphelin se jette du troisième étage pour échapper aux sévices des surveillants.

Terre, planète bleue, où, à la nuit tombée, un maçon contemple avec fierté le mur de briques élevé tout au long du jour.

Terre, planète bleue, où un maître de chapelle écrit les dernières notes d'une cantate qui enchantera le cœur des hommes pendant des siècles.

Terre, planète bleue, où une mère tient dans ses bras un enfant mort du sida transmis à son mari à la fête du village.

Terre, planète bleue, où un navigateur solitaire regarde son grand mât s'effondrer sous le choc des déferlantes.

Terre, planète bleue, où, sur un divan de psychanalyse, un homme reste muet.

Terre, planète bleue, où un chevreuil agonise dans un buisson, blessé par un chasseur qui ne l'a pas poursuivi.

Terre, planète bleue, où, vêtue de couleurs éclatantes, une femme choisit ses légumes verts sur les étals d'un marché africain.

Terre, planète bleue, qui accomplit son quatre milliards cinq cent cinquante-six millionième tour autour d'un Soleil qui achève sa vingt-cinquième révolution autour de la Voie lactée.

H. R.

REMERCIEMENTS

Je tiens à remercier Camille Reeves et Nelly Boutinot pour leur aide précieuse dans la rédaction de ce livre. Jean-Marc Levy-Leblond pour ses remarques pertinentes et ses suggestions à la lecture du manuscrit. Et Gilles Reeves pour l'attention particulière qu'il a mis à rendre ces chroniques disponibles semaine après semaine sur le site Internet www.hubertreeves.info

Hubert Reeves,
astrophysicien, président de la Ligue Roc
pour la préservation de la faune sauvage
www.roc.asso.fr

Sommaire

Un mot de présentation

Dans ce livre, on trouvera une version remaniée, voire actualisée, des chroniques hebdomadaires diffusées chaque samedi sur France Culture depuis l'automne 2003.

Chacune à sa façon, et sous un aspect particulier, traite de l'agression que l'humanité fait subir à la nature, menaçant par contrecoup son propre devenir. L'idée générale est d'illustrer les liens de solidarité, physiques autant que symboliques, que l'on peut établir entre la vie sur Terre et le cosmos.

La nouvelle rédaction a demandé certains aménagements. Les répétitions nécessaires pour rappeler aux auditeurs, après sept jours de silence, la teneur de la chronique précédente, n'avaient plus leur place. Cependant, des retours occasionnels sur un même sujet m'ont semblé appropriés pour favoriser l'assimilation des données et leur mémorisation. Ainsi un même thème peut être repris sous des angles différents.

1

Histoire de pigeons migrateurs

«Est-ce ainsi que les hommes vivent?» se demandait le poète Aragon. Tant il est vrai que les humains sont capables de tout. Du meilleur et, malheureusement, du pire. Du pire entre eux, et du pire envers les autres espèces. Voici par exemple l'histoire, triste et lamentable, de l'extermination du pigeon migrateur américain.

Cet oiseau porte au Québec le nom de «tourte voyageuse». Il servait à confectionner la «tourtière», plat traditionnel qui a le nom de l'ustensile dans lequel on le faisait cuire, sorte de tarte ou de chausson farci à la viande qui, aujourd'hui, se prépare sans le pigeon... Et pour cause: il n'existe plus.

Or, au début du XIXe siècle, en Amérique du Nord, les populations de tourtes atteignaient des milliards d'individus... Chaque année, les tourtes effectuaient leur voyage de migration du Canada jusqu'au golfe du Mexique. Les vols s'étiraient sur des centaines de kilomètres; ils étaient si denses que le ciel, dit-on, s'obscurcissait à leur passage. Elles nichaient sur des chênes et des hêtres qui abritaient jusqu'à cent nids par arbre. Les Indiens posaient leurs tentes à proximité et se nourrissaient de cette chair délicieuse. Une manne si abondante qu'elle semblait inépuisable...

Avec l'arrivée des Européens, la chasse millénaire prit une tout autre dimension. La légende veut que des chasseurs aient coupé des arbres et incendié des forêts pour déloger les volatiles et les abattre en masse. Certains utilisèrent le canon pour tirer dans les vols ! Des concours de chasse étaient organisés : à moins de trente mille victimes alignées, il était impossible de prétendre figurer parmi les lauréats.

Vers la seconde moitié du XIXe siècle, la diminution des effectifs attisa tant la frénésie des chasseurs qu'ils mirent au point des techniques toujours plus efficaces pour remplir leurs gibecières, jusqu'à utiliser le télégraphe pour signaler les lieux de passage des vols migratoires.

Plus tard enfin, mais trop tard, la chasse fut interdite. Malgré de nombreuses tentatives de préservation, les populations continuèrent à décliner.

Le dernier oiseau, une femelle nommée Martha, mourut en 1914, au jardin zoologique de Cincinnati, où une plaque commémore cette navrante histoire.

La liste est longue de tous les animaux que la présence humaine a fait disparaître, par bêtise et cupidité.

La découverte de la grotte Cosquer, dans les calanques méditerranéennes, nous a rappelé une autre sombre histoire du comportement humain. Il y a près de vingt mille ans, nos lointains ancêtres ont peint sur les murs de cette grotte d'admirables images de la faune de l'époque. On y remarque un étrange oiseau : le grand pingouin, totalement disparu aujourd'hui :

Ces oiseaux étaient pourtant encore abondants dans l'hémisphère Nord au XVIIIᵉ siècle. On les rassemblait dans de grands enclos, où on les massacrait à coups de matraque, pour leurs plumes dont on faisait des coussins.

À l'annonce de leur déclin rapide, les pingouins devinrent un objet de convoitise pour les collectionneurs, qui firent monter les enchères. Plus une espèce se raréfie, plus elle génère un braconnage lucratif la menant inexorablement à l'extinction.

En 1834, le dernier couple fut capturé, tué et vendu à prix d'or en Islande. Il ne reste que de rares spécimens naturalisés dans des musées.

«Est-ce ainsi que les hommes vivent?»... et que les espèces disparaissent?

2

La Terre n'est pas infinie

Notre planète, la Terre, n'est pas infinie. Nous le savons depuis longtemps : le physicien grec Ératosthène en a mesuré la circonférence quatre siècles avant Jésus-Christ. Mais la prise de conscience de cette limitation est très récente ; elle date de moins d'un demi-siècle. Et sa portée réelle est loin d'avoir pénétré tous les esprits.

Les Romains rejetaient leurs eaux sales dans la Méditerranée, mais cela n'avait guère d'importance : ils étaient peu nombreux et la Méditerranée est si vaste ! Depuis ces temps reculés, la population humaine a beaucoup augmenté, passant le seuil du premier milliard au XIXe siècle et dépassant aujourd'hui les six milliards. À l'exception des déserts et des régions polaires, tous les continents sont peuplés.

Mais, plus significatif encore que l'accroissement de la population mondiale, il y a le prodigieux développement technologique et industriel des humains. Qu'il s'agisse des ressources minérales (pétrole, gaz, charbon), végétales (forêts, terres arables) ou animales (pêcheries, pâturages), le rythme d'exploitation des réserves naturelles s'est accru à une telle cadence et se poursuit à une telle vitesse que l'épuisement est prévisible à relativement court terme.

De surcroît, cette exploitation entraîne une détérioration rapide de la nature. Les dégâts prennent la forme de pollutions des sols, de l'eau et de l'air. Dans la mince atmosphère – à peine une centaine de kilomètres – qui entoure notre planète et constitue notre si minuscule cocon dans le grand univers, nous rejetons de plus en plus de gaz toxiques affectant profondément nos conditions de vie.

La concentration du gaz carbonique a augmenté de plus de 30 % depuis le début de l'ère industrielle et pourrait doubler avant la fin de ce siècle, entraînant un réchauffement majeur.

L'amincissement de la couche d'ozone, ce précieux bouclier qui nous protège des rayons ultraviolets du Soleil, est dû à l'émission de gaz variés de provenance industrielle.

Les produits chimiques rejetés dans l'eau produisent des effets nocifs sur les populations de poissons, puis sur les humains eux-mêmes lorsqu'ils consomment ces nourritures contaminées.

Les engrais azotés et les pesticides utilisés pour les cultures détériorent la qualité des sols et contribuent à la diminution croissante des surfaces de terres productives sur la planète.

L'effondrement des populations de poissons dans les océans, provoqué par la surpêche résultant elle-même de l'efficacité sans cesse accrue des techniques de pêche et des rivalités entre nations, pose le problème de l'approvisionnement des humains dans les prochaines décennies.

Les photos prises de nuit par les télescopes en orbite au-dessus de la Terre illustrent nettement la situation contemporaine. Sur ces photos, les feux (rouges) des forêts amazoniennes nous révèlent la réalité effarante de la destruction mondiale des forêts. Sur d'autres clichés, on distingue les illuminations (jaunes) des villes et des autoroutes et aussi les régions (rouges) d'extraction du pétrole (combustion du méthane sortant des puits). Ces images nous rappellent que nous avons brûlé environ la moitié des réserves disponibles. On peut également voir du ciel les aires vertes de pêches nocturnes au lamparo qui attirent notre attention sur l'épuisement des pêcheries.

Non, la Terre n'est pas infinie..

Ces chroniques reprendront une par une, en les détaillant, les différentes agressions que notre planète subit.

Le gaz carbonique (A)
Le problème

Le gaz carbonique (CO_2) est constitué de molécules contenant un atome de carbone et deux atomes d'oxygène. Vous en avez sous les yeux quand vous regardez les bulles dans votre verre de champagne.

Notre atmosphère terrestre est constituée surtout d'azote et d'oxygène. Elle contient une faible quantité de gaz carbonique, moins de 0,5 %. Mais ce gaz joue plusieurs rôles importants dans notre biosphère. Grâce à l'énergie solaire, les plantes l'associent à l'eau lors de la photosynthèse qui produit les molécules de base de la vie (sucres, etc.)

La concentration du gaz carbonique dans l'atmosphère est contrôlée par un ensemble de réactions qui la maintient dans un état de quasi-équilibre. Les éruptions volcaniques et l'érosion des pierres calcaires sont les principales sources naturelles du dégagement de ce gaz. Il est ensuite absorbé par l'activité respiratoire des végétaux : planctons marins et plantes continentales. Après leur mort, les corps des micro-organismes marins tombent au fond de l'océan où ils s'accumulent pendant des millions d'années, se compactent sous la pression et forment des strates de pierres carbonatées.

Entraînées par les mouvements de convection internes de notre planète, ces pierres s'enfoncent ensuite graduellement dans le manteau terrestre pour en ressortir plus tard par les cheminées des volcans ou grâce à d'autres phénomènes géologiques. Ainsi, le cycle est bouclé et la concentration du gaz carbonique est maintenue à peu près constante sur de grandes échelles de temps.

Avec l'arrivée de l'industrie humaine, un nouveau facteur entre en jeu qui modifie profondément cet équilibre. Des chiffres illustreront la situation. Les rejets de carbone sont aujourd'hui de sept milliards de tonnes par an, soit deux fois plus que la possibilité d'absorption de la végétation et de l'océan. Le gaz carbonique s'accumule dans l'atmosphère. Sa concentration pourrait doubler d'ici à la fin du XXIe siècle. Conséquence : le gaz carbonique retient une partie de la chaleur solaire réémise par la Terre. C'est un effet de serre surajouté à celui qui existe naturellement, et la planète se réchauffe.

Nous touchons ici à une caractéristique importante de l'activité humaine : sa trop grande rapidité par rapport aux temps caractéristiques des phénomènes naturels. L'océan pourrait s'adapter et trouver un nouvel équilibre, mais il lui faudrait pour cela des centaines, sinon des milliers d'années.

Que faire ?

D'abord réduire les émissions de gaz carbonique dans l'atmosphère. À la conférence de Kyoto en 1997, un projet a été présenté à cet effet. Par ce protocole, 38 pays industrialisés s'obligeaient à abaisser leurs émissions entre 2008 et 2012 à des niveaux inférieurs d'environ 6 % à ceux de 1990. Jusqu'ici, les États-Unis, principaux pollueurs (près de 25 %), s'y refusent. Après de longues tergiversations, l'accord vient d'être ratifié malgré les États-Unis mais grâce à la Russie, deuxième plus gros émetteur au monde (17 %).

Pourtant, les accords de Kyoto ne sont qu'un tout petit premier pas vers la solution du problème. Pour freiner efficacement le réchauffement, il faudrait réduire ces émissions de plus de 60 %. On reviendrait alors à la situation d'avant la guerre de 1939-1945, période durant laquelle les émissions de gaz carbonique n'étaient pas encore problématiques.

Le gaz carbonique (B)
Les solutions

La concentration de gaz carbonique dans notre atmosphère est en augmentation constante. L'océan et la végétation n'arrivent plus à la stabiliser.

Quelles pourraient être les solutions ? On parle aujourd'hui de séquestration du gaz carbonique : le piéger à la source pour le stocker en lieux sûrs où il soit inoffensif.

La méthode la plus simple consiste à planter de nouvelles forêts dont les arbres fixent le carbone dans leurs tissus. Cette solution n'est intéressante qu'à court terme. Les plantes meurent et, leurs constituants étant alors libérés, le gaz carbonique repart dans la nature.

Autre solution en discussion : fertiliser le plancton marin (par apport de nitrates), son plus grand développement permettant d'absorber davantage de gaz carbonique. Mais on craint, avec raison, les autres effets d'une telle opération sur la flore et la faune marines. D'où la forte résistance des milieux écologistes, d'autant que cette méthode semble de faible efficacité face à l'ampleur du problème.

On pourrait également injecter ce gaz dans le sous-sol, par exemple dans les vastes cavités vacantes suite à l'extraction du gaz naturel qu'elles contenaient initialement. On cherche aussi à développer des méthodes biochimiques utilisant des bactéries pour la transformation du gaz en molécules organiques inoffensives.

Les recherches se poursuivent et, à supposer que les techniques soient maîtrisées, il faudra évaluer leur degré d'efficacité et leurs effets collatéraux avant toute adoption. Affaire à suivre.

Autres difficultés : la mise en œuvre de ces techniques ne sera possible que là où les émissions de gaz sont concentrées (centrales thermoélectriques, traitement des déchets par de hautes températures). En fait, une fraction importante (plus de 25 %) du gaz carbonique est émise par le transport routier. C'est-à-dire de façon diffuse sur toutes les routes du monde. Pour cette fraction, la séquestration semble une gageure. À quand des pots d'échappement transformant le gaz carbonique en une substance inoffensive ?

Seul le recours à des énergies non émettrices de gaz carbonique représenterait la solution idéale pour rééquilibrer l'atmosphère terrestre et freiner le réchauffement.

La déforestation

L'influence de l'espèce humaine sur les forêts du globe ne date pas d'hier. La déforestation commence il y a plus d'une dizaine de milliers d'années, quand les humains se sédentarisent, inventent l'agriculture en plantant les premières céréales, et l'élevage en domestiquant des espèces locales. La cueillette et la chasse régressent. Pour étendre les cultures et les zones d'élevage, on crée des éclaircies puis on aménage des clairières, puis on défriche toujours davantage. Pourtant, pendant des millénaires, cette activité ne touche que des aires limitées de la planète dans les régions de climat tempéré : Moyen-Orient, Europe, Inde, Chine.

Depuis quelques siècles, avec la colonisation de nouveaux territoires par les puissances européennes et le développement des techniques d'exploitation forestières, elle prend une ampleur beaucoup plus considérable.

Alors que, dans les régions tempérées, la tendance à la déforestation s'est ralenti et s'est même inversée depuis le siècle dernier avec l'exode rural et l'abandon des cultures sur des surfaces importantes, tel n'est pas le cas, au contraire, dans les territoires équatoriaux et tropicaux (Amazonie, Indonésie, Afrique centrale). Les cultures sur brûlis, les coupes à blanc, l'extension des zones habitées, la demande importante de bois exotiques dans le monde occidental en sont les principales causes.

On estime aujourd'hui que plus de la moitié du manteau forestier de notre planète a disparu depuis l'avènement de l'agriculture. En Amazonie, pour faire place à des pâturages, mais aussi pour l'exportation de grumes et de pâte à papier, un territoire équivalant à celui de la France a été déboisé en moins de vingt-cinq ans. Les observations par satellites montrent, année après année, l'étendue croissante du désastre.

Le réchauffement de l'atmosphère est aussi responsable de la déforestation. Une longue sécheresse en Indonésie, vraisemblablement causée par l'effet de serre, fut, il y a quelques années, l'une des causes indirectes de gigantesques feux de forêt. On prévoit que ce réchauffement, de 2 à 5 degrés au cours du siècle actuel, entraînera une forte hausse des incendies, au Canada et en Sibérie par exemple, qui pourraient provoquer un déboisement progressif jusqu'aux zones boréales.

L'utilisation massive d'engrais en agriculture constitue également une menace liée à la toxicité des oxydes d'azote sur le feuillage. D'autres effets négatifs sont provoqués par l'ozone et les pluies acides.

Quelles qu'en soient les causes, la déforestation a des répercussions nocives sur l'atmosphère du fait de l'émission de gaz carbonique résultant de la combustion ou de la décomposition du bois. De plus, elle affecte la qualité des eaux qui s'écoulent dans les bassins versants.

Heureusement, des signes encourageants nous parviennent, montrant que le problème est identifié, que des actions positives sont entreprises. De bonnes nouvelles arrivent de Chine et d'Espagne, où des plans de reforestation sont en cours. Le Brésil vient de créer, à la limite de la Guyane, un parc national grand comme la Belgique, ce qui ne représente pourtant que 1 % de la forêt amazonienne, qui reste donc fortement menacée. Et les nouvelles plantations n'ont pas la valeur biologique des forêts initiales. Cependant, chaque petit pas est à saluer.

En Afrique, des initiatives positives voient le jour. Ainsi, en Guinée équatoriale, l'État travaille à la « conservation et utilisation rationnelle des écosystèmes forestiers ». Et il existe un institut équato-guinéen[1] qui vise à gérer le patrimoine forestier de façon rationnelle et durable.

Dernier point trop souvent négligé : il importe que les populations locales soient partie prenante de la gestion de leurs forêts et soient considérées en tant qu'acteurs responsables. Alors les conditions seront réunies pour un meilleur succès des initiatives.

1. L'INDEFOR, l'Institut national de développement forestier.

6

Le niveau de la mer

Situons d'abord dans son contexte historique la question du niveau des océans, une des préoccupations majeures des décennies à venir.

Sur notre planète, il y a, depuis plus d'un million d'années, alternance de périodes plus froides et de périodes plus chaudes (nous sommes actuellement dans une période interglaciaire), au rythme d'environ une glaciation chaque cent mille ans. On admet généralement que la cause de ce phénomène cyclique est d'origine astronomique : il est provoqué par une variation de la lumière solaire atteignant la surface de la Terre (insolation). Cette variation est elle-même due à une lente oscillation de la forme et de l'orientation de l'orbite de la Terre autour du Soleil.

La dernière glaciation mondiale s'est achevée voici environ vingt mille ans. Pendant cette glaciation, la température moyenne à la surface de la Terre était d'environ 10 degrés Celsius, donc 5 degrés de moins qu'aujourd'hui (15 degrés). Le niveau de la mer était de 120 mètres en dessous du niveau actuel. La banquise recouvrait le nord de l'Amérique et de l'Europe.

Grâce à des mesures prises par satellite (en particulier Topex-Poséidon), on peut mesurer le niveau moyen des océans terrestres avec une précision bien supérieure au centimètre. Les mesures attestent d'une montée annuelle de ce niveau de plus de 3 millimètres entre 1993 et 1998. Depuis 1900, il aurait augmenté de 10 à 25 centimètres.

Quelle est la cause de cette élévation du niveau océanique ? La plus importante est la simple dilatation thermique. Comme pour presque toutes les substances (le fer, par exemple), le volume de l'eau s'accroît quand on la chauffe. À cela s'ajoute la fonte des glaciers terrestres de l'Antarctique et du Groenland. (Rappelons en passant que la fonte des glaces flottantes, comme les icebergs, n'élève pas le niveau de la mer, principe d'Archimède oblige ; donc la fonte de la banquise arctique, comparable à un immense glaçon, ne ferait pas monter le niveau des océans !)

Un autre facteur complique l'interprétation : les mouvements verticaux des plaques continentales. Mais il ne joue probablement qu'un rôle mineur dans l'histoire.

Le réchauffement de l'atmosphère depuis le milieu du siècle dernier est largement responsable de l'élévation observée. Il se fait déjà sentir sur tous les territoires de basse altitude. Plusieurs îles océaniques sont menacées autant par cette montée des eaux que par l'accroissement de la fréquence et de la violence des cyclones – dont l'effet de serre est également responsable – et, en conséquence, par la hauteur des vagues qui déferlent sur les terres.

Et l'avenir ? Il dépend de l'augmentation de la température et donc des émissions de gaz à effet de serre (gaz carbonique, méthane, etc.). L'élévation pourrait atteindre plusieurs mètres avant la fin du XXIe siècle. Des centaines de millions de personnes seraient forcément délogées, au Bangladesh, aux Pays-Bas et dans la plupart des grandes métropoles situées au bord de la mer (New York, Shanghai, Bombay, etc.).

Déjà en ce moment, dans les îles Vanuatu, en Océanie, des insulaires – qui ne sont nullement responsables du réchauffement général – attendent un visa pour gagner l'Australie.

Nos voitures et nos chauffages les chassent de leur pays natal…

7

Le Gulf Stream

Le Gulf Stream est un courant marin de l'Atlantique Nord. Il entraîne les eaux tièdes de la mer des Antilles vers les côtes de l'Ouest africain. De là, il remonte le long de l'Europe (Portugal, France, Angleterre, Écosse). Ses eaux refroidies reviennent ensuite vers l'est (Islande, Groenland) pour redescendre vers le sud jusqu'à son point de départ.

Plusieurs éléments différents sont à l'origine de ce courant:

– Premier élément: le rayonnement du Soleil chauffe davantage les régions équatoriales que les régions polaires (la Terre est ronde…). Les eaux réchauffées du golfe du Mexique, moins denses que les eaux froides des profondeurs, se propagent en surface vers le nord. Elles se refroidissent peu à peu et s'enfoncent vers les fonds marins, redescendent alors vers leur point de départ. Et le circuit recommence…

– Un deuxième élément est la rotation de la Terre. Entraîné par ce mouvement circulaire, le courant prend au départ une tangente est-ouest et par la suite effectue un mouvement tourbillonnant tout autour de l'Atlantique Nord. Des courants analogues existent dans les autres océans.

En transportant la chaleur des régions chaudes vers les régions froides, ces courants océaniques contribuent, comme les courants atmosphériques, à la distribution des températures sur la Terre. Sans eux, les régions chaudes seraient encore plus chaudes, et les régions froides, plus froides. C'est pour cette raison que l'Europe de l'Ouest jouit d'hivers moins rigoureux que l'Amérique du Nord (Montréal est à la même latitude que Bordeaux).

– Il faut maintenant introduire, dans notre description du fonctionnement du Gulf Stream, un troisième élément qui, pour être plus subtil, n'en est pas moins fondamental : la salinité de l'eau. Les eaux salées sont plus denses que les eaux douces. En conséquence, une couche d'eau salée aura tendance à s'enfoncer sous une couche d'eau douce.

À cause de l'évaporation plus importante dans les régions chaudes que dans les régions froides, les eaux équatoriales et tropicales sont plus salées que les eaux polaires. Les paludiers savent que l'évaporation de l'eau n'entraîne pas celle du sel qui, au contraire, se dépose dans les salines. Cette salinité joue un rôle important dans l'enfoncement nordique des eaux du Gulf Stream. Sans le poids du sel, les eaux ne s'écouleraient pas vers le fond et le courant risquerait fort de s'interrompre.

Des mesures récentes de la salinité des eaux marines nous donnent ici des motifs d'inquiétude. Depuis quelques décennies, les eaux tropicales sont de plus en plus salées tandis que les eaux polaires sont de plus en plus douces.

La cause de ce changement est vraisemblablement

le réchauffement planétaire qui augmente l'évaporation dans les zones chaudes et les pluies dans les zones froides. À cela s'ajoute, pour ces dernières, la fonte accélérée des glaciers qui alimentent aussi en eau douce tout le pourtour arctique. Au-delà d'une certaine limite (inconnue), ces excès d'eau douce pourraient perturber gravement le Gulf Stream, jusqu'à, peut-être, l'arrêter, voire l'inverser, les eaux glacées du Nord descendant refroidir l'Europe et l'Amérique du Nord.

De telles interruptions se sont produites à plusieurs reprises dans l'histoire de la Terre. La plus récente a eu lieu, il y a environ vingt-cinq mille ans, pendant le dernier âge glaciaire. À cette période, le Groenland s'est refroidi de plus de 10 degrés.

Les études océanographiques nous montrent une fois de plus l'importance des répercussions de notre activité sur la nature. Nous avons atteint une telle puissance que nous sommes en mesure de modifier des cycles planétaires plus que millénaires. Et, en même temps, nous réalisons la fragilité de certains équilibres comme celui qui maintient le Gulf Stream en circulation. Nous nous inquiétons des effets majeurs qui pourraient résulter de ses altérations, voire de son arrêt, ou de son inversion.

Ajoutons pour terminer que l'importance de l'influence du Gulf Stream sur le climat européen est aujourd'hui contestée par certains auteurs. Affaire à suivre.

8

Vénus et l'effet de serre

Vénus est cette lumineuse planète qui se laisse voir alternativement peu avant le lever du Soleil ou peu après son coucher. C'est, après le Soleil et la Lune, l'astre le plus brillant de notre voûte céleste.

À beaucoup de points de vue, la planète Vénus est la jumelle de notre Terre. Les masses sont semblables (à 20 % près) ainsi que les distances au Soleil (à 35 % près). Les compositions chimiques se ressemblent beaucoup, en particulier les quantités de carbone.

Mais les ressemblances s'arrêtent là, et les différences sont très spectaculaires. Vénus possède une atmosphère massive, cent fois plus dense que la nôtre, principalement constituée de gaz carbonique, et provoquant à la surface de la planète un gigantesque effet de serre. La température superficielle de 480 degrés Celsius exclut la présence de nappes aquatiques et, en conséquence, de tout organisme vivant (du moins sous les formes de vie que nous connaissons).

Pourquoi Vénus et la Terre sont-elles si différentes? D'abord parce que, sur Vénus, les atomes de carbone sont incorporés dans les molécules de gaz carbonique, alors que, sur la Terre, ils sont en grande majorité piégés dans les strates calcaires qui gisent dans les fonds marins. Mais comment expliquer cette différence ? Quels sont les phénomènes responsables de stockages aussi dissemblables ?

C'est la présence d'eau liquide à la surface de la Terre et le foisonnement d'êtres vivants dans les premières centaines de mètres sous l'eau qui sont à l'origine de la séquestration du carbone terrestre. Ces organismes microscopiques (planctons, diatomées, algues bleues), pour fabriquer leur nourriture par photosynthèse, absorbent le gaz carbonique et l'associent à l'eau en utilisant la lumière du Soleil comme source d'énergie. À leur mort, leurs squelettes s'accumulent au fond de la mer et, sous l'effet de la pression, donnent naissance aux minéraux carbonatés (la craie des tableaux noirs de notre enfance en est un bon échantillon). La surface de Vénus, dépourvue d'eau, n'a pas accès à ce mécanisme d'extraction de son gaz carbonique, qui reste donc à l'état libre dans son atmosphère.

La situation frise maintenant le cercle vicieux : Vénus n'a pas d'eau parce qu'elle est trop chaude (à cause du gaz carbonique). Elle est trop chaude parce qu'elle n'a pas d'eau pour absorber son gaz carbonique. L'origine de cet état est encore largement en attente d'une explication satisfaisante.

Pour l'instant, restons-en à une considération qui ne manque pas d'attirer notre attention sur une situation contemporaine : si tout le carbone de la surface terrestre était émis dans l'air sous forme de gaz carbonique, notre atmosphère s'échaufferait à des centaines de degrés, et toute vie disparaîtrait.

Vénus est, sous nos yeux, une sorte d'avertissement.

9

Le méthane

Le méthane (CH_4) est un gaz dont les molécules sont composées d'un atome de carbone associé à quatre atomes d'hydrogène. On le trouve au fond des marécages où il résulte de la décomposition des matières organiques. Il est un acteur des « feux follets » que l'on peut observer par les chaudes nuits d'été sous forme de vacillantes lueurs blanches au-dessus des étangs. Le méthane associé au diphosphane – tous deux sont issus de la décomposition des végétaux – s'enflamme spontanément au contact de l'air.

Le méthane est un produit de la transformation des végétations anciennes au cours des ères géologiques. Il fait partie de l'ensemble des hydrocarbures (méthane, éthane, butane) que nous utilisons sous le nom de « gaz naturel ». De grandes quantités de méthane existent dans le sous-sol terrestre. Les flammes rouges qui émergent des hautes cheminées près des puits de pétrole proviennent de sa combustion.

Dans notre atmosphère, le méthane se situe juste derrière le gaz carbonique dans la liste des principaux contributeurs à l'effet de serre. Il y participe à la hauteur de 5 %. Alors que sa concentration atmosphérique est cent fois plus faible que celle du gaz carbonique, sa capacité à retenir la chaleur solaire est des dizaines de fois plus importante.

Mais, au contraire du gaz carbonique qui persiste dans l'atmosphère pendant des siècles, le méthane s'y dégrade en une dizaine d'années. Son taux de dégradation est fonction de la présence d'autres substances dans l'air, y compris d'autres polluants. De plus, il participe à la formation de l'ozone, responsable du smog dans les centres urbains.

Environ 70 % des émissions de méthane dans l'air proviennent de l'activité humaine, la plupart du temps de l'extraction des carburants fossiles (pétrole), mais aussi des décharges ou encore de l'agriculture (réactions anaérobiques dans les rizières marécageuses) et de l'élevage bovin (dégagement de l'appareil digestif des animaux). Sa concentration a triplé depuis le début de l'ère industrielle. Aux dernières nouvelles, elle semble se stabiliser : des chercheurs ont mis en évidence un plateau dans l'évolution de sa concentration atmosphérique entre 1999 et 2002. Cette stagnation s'expliquerait par le recul des activités d'extraction minière, notamment en Sibérie.

Cependant, une autre menace pèse sur notre avenir. Si le méthane contribue au réchauffement, le réchauffement lui-même risque fort de contribuer à l'émission de méthane et donc à la poursuite de l'accroissement de la température (effet de boucle). De vastes quantités de méthane sont piégées dans les sols gelés (pergélisols) des régions arctiques (Sibérie, Canada) ainsi que dans les plateaux sous-marins aux abords des continents. Or le réchauffement contemporain se fait particulièrement sentir dans les zones polaires. La température y a augmenté de plus de 2 degrés depuis le début du XXe siècle et la calotte glacée du pôle Nord s'est réduite de plus de la moitié. Elle pourrait disparaître entièrement dans quelques décennies.

La libération progressive du méthane stocké dans le pergélisol et dans les plateaux continentaux (à cause du réchauffement de l'océan) pourrait entretenir encore longtemps la croissance de la température, même après l'épuisement éventuel des combustibles fossiles (pétrole, charbon, gaz naturel) responsables de l'émission de gaz carbonique.

Rappelons cependant que, le temps moyen de séjour du méthane dans l'atmosphère étant relativement court comparé à celui du gaz carbonique, le dommage provoqué par le dégagement de ce gaz pourrait être moins grave que prévu.

Mais n'oublions pas que la climatologie est encore une science pleine d'incertitudes. Il reste que nous n'avons pas intérêt à jouer avec le feu...

10

L'azote

À la fin du XVIIIe siècle, les chimistes ont réussi à déterminer la composition de l'air que nous respirons. Outre l'oxygène, élément indispensable à notre vie, ils découvrirent un autre élément, majoritaire celui-là (70 %), qui ne semblait pas jouer un rôle analogue. On le nomma « azote », ce qui veut dire « sans vie ».

Son importance, peu apparente, devint évidente sur le plan de la culture des plantes. L'épuisement progressif des terres trop souvent cultivées est consécutif à l'appauvrissement des sols en atomes d'azote. On découvrit que certaines plantes appelées « plantes nitrifiantes » (les légumineuses) avaient la propriété d'extraire de l'azote de l'air et de le fixer dans leurs tissus. Le phénomène implique l'activité de bactéries qui fixent l'azote du sol dans des nodules se trouvant sur les racines. L'azote fixé peut être soit utilisé par la plante hôte, soit excrété vers le sol à partir des nodules des racines, à leur mort. Grâce à ces plantes bénéfiques, on peut donc amender les terres appauvries. Ce mode de fertilisation des terres par des engrais naturels était d'ailleurs utilisé empiriquement bien avant la découverte de la chimie, sous forme de composts et de fumiers, la décomposition des résidus libérant leur azote.

Un événement fondamental se produisit vers 1909 quand les chimistes allemands Fritz Haber et Carl Bosch réussirent à fixer en laboratoire des atomes d'hydrogène à l'azote de l'air pour produire de l'ammoniac. Sa production industrielle permit la commercialisation et l'utilisation massive d'engrais azotés un peu partout dans le monde. Ce furent les principaux agents de la révolution verte qui accrut grandement les rendements agricoles et permit d'éviter la famine que l'on prévoyait dans les pays asiatiques pour la fin du XXe siècle.

Ces fertilisants sont maintenant la cause de graves problèmes. Leurs méfaits ont commencé à se faire sentir quand la production de nitrifiants artificiels a dépassé en quantité celle de nitrifiants naturels. Selon un schéma désormais classique, nous rencontrons ici une fois de plus l'importance de l'influence humaine et de la rapidité de son action sur les équilibres de notre biosphère.

De ces azotes incorporés dans le sol, seule une faible fraction rejoint effectivement les plantes auxquelles ils sont destinés. La plus grande partie reste dans le sol dont elle altère profondément les propriétés en le privant d'autres éléments essentiels comme le calcium et le magnésium. D'immenses surfaces de terres ont ainsi été stérilisées.

Lessivée par la pluie, une partie de l'azote, sous forme de nitrates, rejoint les nappes phréatiques qu'elle pollue. Une autre encore gagne les nappes d'eau superficielles où elle provoque de gigantesques proliférations d'algues variées. Ces organismes monopolisent l'oxygène dissous dans l'eau, étouffent les autres plantes et asphyxient les poissons. Le delta du Mississippi et la baie de Tunis en sont des exemples dramatiques, tout comme la Baltique, l'Adriatique et la mer Noire.

Autre effet, plus lent mais potentiellement plus nocif encore, des apports massifs d'azote dans l'environnement : sa combinaison avec l'oxygène engendre des molécules particulièrement réactives – les oxydes d'azote. Dissoutes dans l'eau, ces substances produisent de l'acide nitrique qui s'intègre dans les aérosols (particules solides microscopiques). Entraînés par les vents, ces aérosols retombent avec les pluies et affectent à long terme tous les végétaux. Un peu partout dans le monde, des feuillages d'arbres jaunissent prématurément et les couronnes s'amincissent, signes d'une mort prochaine. Toutes les forêts sont potentiellement menacées.

Pour ne pas perdre nos arbres, que l'on soit jardinier amateur ou agriculteur, il importe de réduire considérablement l'utilisation des engrais artificiels.

11

L'ozone (A)
Les problèmes

L'ozone est, après le gaz carbonique et l'azote, une autre cause d'inquiétude pour l'avenir de l'humanité.

L'ozone (O_3) est une molécule composée de trois atomes d'oxygène. La molécule d'oxygène (O_2) que nous respirons n'en contient que deux.

L'ozone est présent dans notre atmosphère à deux hauteurs différentes. Il y a d'abord la fameuse couche d'ozone située entre vingt et cinquante kilomètres au-dessus de nos têtes. On l'appelle l'ozone de haute altitude ou encore le « bon ozone ». Cette couche intercepte les rayons ultraviolets les plus énergétiques du Soleil. Elle agit comme un véritable pare-soleil sans lequel la vie ne pourrait pas exister à l'air libre sur les continents.

Cette couche d'ozone n'existait pas aux premiers temps de la planète. Les êtres vivants étaient confinés aux nappes aquatiques où l'eau leur servait de protection. À cette époque, notre atmosphère ne contenait pas d'oxygène non plus. Cette molécule, si importante pour la vie, apparaît comme un résultat de la respiration des micro-organismes vivant dans l'océan (le plancton marin) et devient un constituant majeur de notre atmosphère il y a environ deux milliards d'années. À haute altitude, le rayonnement solaire transforme alors une partie de l'oxygène en ozone. Sous ce manteau protecteur, les animaux aquatiques peuvent sortir de l'eau et peupler les continents (tortues, lézards, et plus tard mammifères, dont nous sommes). Pour son effet bénéfique à la vie terrestre qui a amené, par l'évolution, l'apparition de notre espèce, nous l'appelons le « bon ozone ».

On trouve également de l'ozone à basse altitude, au niveau du sol : nous le déclarons « mauvais ». Pourquoi, puisqu'il s'agit bien de la même molécule ? La différence se fait par rapport à nous : celui d'en haut nous protège, celui d'en bas nous agresse. Cet ozone est naturellement produit par les orages. Il nous arrive de le sentir après un éclair. D'ailleurs, le mot « ozone » veut dire « mauvaise odeur » en grec. Mais il est majoritairement répandu par l'industrie humaine. Il est formé, sous l'action de la lumière solaire, par les oxydes d'azote et les hydrocarbures émis par les voitures. La circulation routière en produit des quantités considérables. Les vents le dispersent sur de grandes distances. Il est même souvent plus dense dans les régions rurales voisines des grandes villes que dans les cités elles-mêmes.

Par son pouvoir oxydant, il modifie la perméabilité des membranes cellulaires. Il perturbe la photosynthèse et la respiration. Il affecte ainsi la vitalité des arbres, entraînant par exemple la décoloration des aiguilles des pins des forêts méditerranéennes. Sur les humains, il produit une irritation des yeux, de la muqueuse nasale et de l'ensemble du système respiratoire.

Depuis quelques années, la concentration de cet ozone maléfique est en augmentation constante. L'utilisation des climatiseurs, dans les maisons comme dans les voitures pendant les périodes de canicule – je pense en particulier à l'été 2003 –, accentue le phénomène. C'est là un des principaux problèmes induits par la préférence donnée au transport routier.

12

L'ozone (B)
Les solutions

Vers 1980, des géochimistes ont prédit que la couche d'ozone en altitude allait être détériorée par des gaz issus de l'industrie humaine, en particulier par les composés chlorés (CFC pour chlorofluoro-carbones) utilisés dans les réfrigérateurs et dans les bombes aérosols (flacons conçus pour la diffusion d'aérosols). Ces CFC s'élèvent dans l'atmosphère et vont rejoindre la couche d'ozone en altitude. Là, désintégrés par les rayons du Soleil, ils produisent des molécules chlorées, qui, à leur tour, détruisent l'ozone.

La pertinence de la prédiction de l'amincissement de la couche devait être rapidement confirmée. Notons que, par une malheureuse ironie du sort, les chimistes avaient choisi de fabriquer et d'utiliser ces CFC dans les aérosols en particulier à cause de leur grande sta-bilité ! On pensait s'assurer ainsi qu'ils ne réagiraient pas avec l'air et ne pollueraient pas notre atmosphère. Mais, à grande hauteur, rien ne résiste à la puissance des ultraviolets du Soleil.

Depuis des décennies, l'épaisseur de la couche d'ozone est régulièrement mesurée au-dessus du pôle Sud par la British Antarctic Survey. À partir de 1985, on observe à chaque printemps une décroissance progressive. Alertés, les satellites de la Nasa confirment ces mesures et montrent que la situation continue à se dégrader. La diminution printanière ne cesse de s'amplifier et dépasse parfois 70 %. Cet amincissement se produit, mais à moindre échelle, tout autour de la planète.

En permettant à des quantités toujours plus grandes de rayons ultraviolets d'atteindre le sol, la diminution de la couche d'ozone peut avoir des effets très néfastes, tels un accroissement des cancers de la peau et une détérioration de la vie végétale, première étape cruciale de toute chaîne alimentaire.

Des études postérieures ont confirmé le rôle nocif des CFC dans cette détérioration. On en fabriquait près d'un million de tonnes par an dans les années 1970. Entre 1950 et 1990, leur production a multiplié par six la présence dans l'atmosphère du chlore issu de la dégradation des CFC.

Le signal d'alarme a été tiré par la communauté scientifique. En 1987, 150 pays ont ratifié le protocole de Montréal qui interdit la production de CFC et encourage la recherche d'alternatives.

Cette interdiction, quoique largement respectée, ne l'est pas totalement. La plupart des pays de l'Est européen ainsi que des pays en voie de développement (dont l'Inde et la Chine) n'ont pas encore signé le protocole. Un important trafic de CFC s'est mis en place depuis une dizaine d'années. La rentabilité économique à court terme demeure trop souvent l'impératif premier, au détriment des équilibres écologiques essentiels de la planète.

Les effets du moratoire de Montréal restent encore incertains. Les mesures prises par la Nasa entre 1979 et 2003 montrent une diminution des concentrations des gaz destructeurs de l'ozone. Le rythme de destruction de l'ozone semblait également se ralentir. On s'attendait donc à de bonnes nouvelles pour 2003. Ce fut l'inverse. Le trou fut plus grand que jamais. Mais celui de 2004 semble au contraire être inférieur à la moyenne des dix dernières années. Il faut s'attendre à de telles fluctuations. La stabilisation de la couche d'ozone et sa reconstruction devraient se poursuivre. Mais il faudra être patient. Elle pourrait mettre plus d'un siècle à retrouver sa valeur d'antan.

13

Les pluies acides

On parlait beaucoup des pluies acides il y a une vingtaine d'années. Les forêts du Nord-Est américain (Québec, Nouvelle-Angleterre) et de l'Europe (Alsace, Allemagne) voyaient leur feuillage se dessécher et tomber, dénudant les branches. La couleur des lacs passait du vert au bleu des mers du Sud, indiquant par là la disparition des planctons d'eau douce, avec pour conséquence la mort des poissons.

Explication : les eaux de pluie étaient devenues de plus en plus acides. Leur acidité fut attribuée aux émanations des grandes cheminées des centrales thermoélectriques crachant des oxydes d'azote et de soufre. Quand ces substances réagissent avec l'air et l'eau, il se forme des composés acides, sulfuriques et nitriques. L'ensoleillement accroît le rythme des réactions.

Transportées par les vents de haute altitude, ces substances se dispersent vers les lacs et les forêts des territoires voisins.

La cause de ces désastres étant identifiée, des mesures furent prises en 1990, lors d'une convention (Clean Air Act Amendment) rassemblant des scientifiques, des entreprises et des instances gouvernementales. Des filtres appropriés furent installés au sommet des cheminées. L'acidité des pluies décrut de façon appréciable, ménageant ainsi la végétation forestière et les organismes aquatiques.

Aujourd'hui, dans les Vosges par exemple, les pluies sont moins acides que par le passé. La fermeture d'un grand nombre de centrales thermiques consécutive à l'avènement du nucléaire, la filtration des fumées d'usine, la désulfurisation du gazole ont contribué à diviser par trois la concentration en soufre des eaux de pluie sur le massif vosgien, entre 1993 et 2001. Pendant la même période, les oxydes d'azote ont été réduits de moitié.

Prenons bonne note des éléments conjugués qui ont amené cette évolution positive. Elle a exigé la coopération de trois instances : (1) les scientifiques pour étudier le phénomène, en identifier les causes et proposer les solutions, (2) les gouvernements pour établir une législation appropriée, et (3) les entreprises pour s'engager à respecter la loi. Cet exemple montre que des problèmes peuvent trouver des solutions quand ces trois instances se mettent d'accord pour agir et limiter les dégâts.

Malheureusement, de tels progrès sont généralement confinés aux pays riches. Les touristes qui visitent l'Europe de l'Est sont affligés du spectacle des immensités desséchées et déboisées. Lors d'un voyage récent en Chine du Nord, j'ai contracté une forte pneumonie à cause de la pollution de l'air. Au voisinage des mines de charbon, les usines dégagent en permanence des panaches sombres de fumées opaques et malodorantes. Je ne sais pas si les enfants de ces lieux savent que le ciel est normalement bleu, et non pas jaune comme ils le voient chaque jour. Les Japonais constatent avec désolation la détérioration de leurs forêts sacrées à cause des pluies acides provoquées par les centrales chinoises et propulsées par les vents au-dessus de la mer du Japon.

Même dans nos pays occidentaux, malgré les améliorations signalées, la situation des pluies acides reste problématique à cause de la croissance continue du transport routier (voitures personnelles et camionnage). Le choix politique de favoriser ce mode de transport risque de neutraliser les progrès réalisés. Il est dorénavant la cause principale de l'émission d'acide nitrique et de la formation d'ozone atmosphérique. Les forêts et les lacs sont toujours en danger.

14

Départ en vacances

Cette scène se passe pendant un été caniculaire comme celui de 2003. Accablée par la chaleur, une famille décide de gagner le bord de la mer. Tout le monde prend place dans la grande voiture familiale, une 4 × 4, choisie pour le confort des passagers.

Les voilà sur l'autoroute. Pour contrer la chaleur de plus en plus intense, le chauffeur attentionné actionne le climatiseur à fond. Et pour accéder le plus vite possible aux belles plages rafraîchies par les vents marins, l'auto file à très grande allure. L'ambiance est joyeuse et la famille savoure à l'avance le plaisir des vacances. Tout va bien…

Voyons maintenant la scène sous un autre angle. Ces parents, apparemment si soucieux du bien-être de leurs enfants, se montrent en fait à leur égard d'une grande imprévoyance. Ces gestes pour leur confort d'aujourd'hui sont promesses de beaucoup d'inconfort à venir : ils les paieront très cher, mais plus tard.

Pour plusieurs raisons :
– La première, c'est que les voitures puissantes sont hautement énergivores et que toute augmentation de la vitesse fait croître rapidement leur appétit. La consommation moyenne des voitures individuelles

(nombre de litres aux cent kilomètres) est, depuis quelques années, en augmentation alors que les ressources mondiales en essence s'épuisent rapidement et devraient pratiquement se tarir d'ici à quelques décennies.

– La deuxième, c'est que la combustion de l'essence rejette du gaz carbonique qui réchauffe la planète. La climatisation est doublement en cause. D'une part, elle augmente de façon appréciable – jusqu'à 30 % – la consommation d'essence. Et, d'autre part, la chaleur extraite de la voiture et rejetée dans l'atmosphère [1] contribue elle aussi au réchauffement de la planète.

– Troisième raison : les voitures en marche rejettent aussi des oxydes d'azote qui, sous l'effet de la lumière solaire, produisent de l'ozone atmosphérique : ce « mauvais ozone » dont les « pics » ont sévi sur une bonne partie de l'Europe pendant plusieurs semaines en 2003.

Cette petite scène veut illustrer l'importance de la prévoyance à long terme. Les gestes les plus simples et les plus quotidiens, même effectués dans les meilleures intentions, peuvent avoir plus tard des effets hautement négatifs.

Un reportage télévisé montrait un jour une scène prise sur l'autoroute du Midi. Les recommandations affichées au-dessus de la chaussée – « Ralentir » « Pics d'ozone sur toute la région » – semblent n'avoir aucun

---

1. Chaque calorie extraite de l'air de la voiture nécessite l'éjection dans l'atmosphère de plusieurs calories supplémentaires. Ainsi le veut le second principe de la thermodynamique.

effet sur les automobilistes ; les voitures filent comme à l'ordinaire.

Au péage, des journalistes interrogent quelques conducteurs :

« Vous êtes d'accord avec les messages de ces panneaux ?

– Oui, bien sûr, c'est très important. Il faut cesser ces pollutions qui nous empoisonnent.

– Vous avez ralenti ?

– Impossible aujourd'hui, je suis très pressé... »

La climatisation est parfois nécessaire. Il faut l'utiliser avec la plus grande modération, conscient des problèmes qu'elle pose à l'environnement.

15

Les énergies pour demain (A)
Les énergies fossiles

La demande énergétique constitue un des problèmes les plus aigus pour l'avenir de l'humanité.

Pour donner une image, je prendrai comme unité de puissance énergétique celle que produit un réacteur nucléaire, un de ceux que l'on peut voir au bord de la mer ou le long des grands fleuves. Un réacteur moyen génère environ un milliard de watts, équivalant à la puissance utilisée par un million de radiateurs domestiques allumés ensemble. (J'utilise cette équivalence uniquement comme image pédagogique : je ne suis pas un défenseur de l'énergie nucléaire.)

La puissance énergétique consommée aujourd'hui par l'ensemble des humains équivaut à celle de douze mille réacteurs. La plus grande partie de cette énergie (environ 75 %) provient du pétrole, du charbon et du gaz naturel. L'énergie nucléaire issue de quelque cinq cents réacteurs et l'énergie hydraulique provenant des barrages fournissent le reste.

On estime que cette consommation doublera d'ici à une cinquantaine d'années, en particulier à cause de la forte croissance économique des pays du Sud-Est asiatique (Chine, Inde). Question : aurons-nous assez d'énergie pour satisfaire tout le monde? Disons-le tout de suite, la réponse est loin d'être évidente.

L'utilisation des énergies fossiles (pétrole, gaz, charbon) est problématique sur deux plans différents:
– Premier problème: en se consumant, ces substances émettent du gaz carbonique qui réchauffe la planète par l'effet de serre. Déjà l'alerte est donnée à cause des conséquences de plus en plus néfastes de ce réchauffement: augmentation du nombre et de la violence des phénomènes climatiques extrêmes (tempêtes, sécheresses, inondations, canicules, fontes des glaces arctiques et antarctiques et des glaciers montagnards).
– Second problème: l'épuisement prévu de ces sources d'énergie. Au rythme où nous puisons dans leurs réserves, les puits de pétrole et de gaz seront largement taris avant la fin du siècle et le charbon en moins de deux siècles. Ces estimations, longtemps contestées par plusieurs compagnies pétrolières, sont pourtant aujourd'hui confirmées par les meilleurs spécialistes. Notons en passant que l'humanité aura alors épuisé en quelques siècles le fruit de plus de cent millions d'années d'élaboration naturelle. Ces substances proviennent en effet de la lente transformation de matières végétales (plantes, forêts) en hydrocarbures dans des strates géologiques datant des époques appelées Dévonien et Carbonifère, il y a deux cents à trois cents millions d'années.

16

Les énergies pour demain (B)
L'énergie solaire

L'épuisement prévu, à l'échelle d'un siècle ou deux, des réserves d'énergies fossiles nous soulagera d'un problème : l'émission de gaz carbonique, cause principale du réchauffement planétaire, cessera. Mais il en posera un autre : le pétrole est la matière première de nombreux produits industriels de grande importance (le plastique dans tous ses usages, l'asphalte pour les routes).

Deux autres sources d'énergie sont potentiellement capables de prendre la relève, sans émettre de gaz carbonique : l'énergie nucléaire et l'énergie solaire. Les deux modes ont leurs difficultés et leurs problèmes. Je reviendrai plus loin à la question du nucléaire.

L'énergie solaire, sous forme de barrages hydro-électriques, d'éoliennes, de panneaux photovoltaïques, de biomasse, rencontre un autre type de difficultés : la faiblesse de rendement de la technologie contemporaine. Ce défaut n'est pourtant pas irrémédiable et n'est donc pas forcément rédhibitoire. De nombreux laboratoires travaillent à augmenter ces rendements et des progrès techniques sont réalisés chaque année. Mais ces progrès seront-ils assez rapides pour prendre à temps la relève des énergies épuisées et satisfaire la demande ? C'est là l'un des grands défis des prochaines décennies.

Lors d'un récent voyage en Scandinavie, j'ai vu d'immenses quantités d'éoliennes dont les pales tournaient dans le ciel. Chacune était garante d'un peu moins de gaz carbonique dans l'atmosphère ou d'un peu moins de déchets nucléaires à gérer par les générations à venir.

Plusieurs associations s'opposent à leur mise en place pour diverses raisons : altération des paysages, dangers pour les oiseaux. On peut installer les éoliennes en mer où elles sont moins visibles et les vents plus intenses. Il importe aussi d'éviter les routes des migrateurs.

En fait, il faut considérer les problèmes dans leur ensemble. Il y a, au départ, une réalité : nous avons besoin d'énergie... Il n'est pas envisageable pour les six milliards d'humains de retourner à l'âge des bougies. Combattre les éoliennes tout en voulant que la lumière s'allume quand on utilise le commutateur n'est pas un comportement cohérent. Il faut concilier nos demandes d'énergie et nos exigences environnementales.

Tous les modes de production d'énergie présentent des inconvénients qu'il importe de réduire, sachant pourtant qu'il y aura toujours des dégâts. Selon la sagesse populaire, nul ne peut avoir « à la fois le beurre et l'argent du beurre ».

17

Les énergies pour demain (C)
L'énergie nucléaire

Je voudrais dire pourquoi l'énergie nucléaire ne me paraît pas une solution intéressante. En peu de mots : parce qu'elle hypothèque l'avenir des générations futures. Les problèmes des déchets sont connus. Si l'on peut envisager de détruire par irradiation les éléments radioactifs dont les durées de vie sont de l'ordre de dizaines de milliers d'années, comme le plutonium, tel n'est pas le cas pour les déchets de moins de mille ans. Décider de stocker des matières dangereuses pendant de telles périodes et laisser à nos descendants le soin de les gérer me paraît irresponsable. Aucun pays n'est assuré d'une stabilité politique et économique à de telles échelles de temps. Voyez le cas des pays d'Europe de l'Est qui négligent leurs centrales et bradent leurs matières radioactives.

La menace que présente cette situation devient particulièrement angoissante à l'heure ou le terrorisme se généralise dans le monde. Des bombes dites « sales » sont à portée de main de groupuscules extrémistes qui trouvent sur Internet toutes les informations nécessaires.

Comment se présente la situation du nucléaire sur

le plan des réserves de carburants? Il importe ici de distinguer les deux modes différents de fonctionnement des réacteurs. Le premier, celui des réacteurs en opération aujourd'hui (appelés «troisième génération»), utilise la technique des neutrons lents. Ces réacteurs – au demeurant de plus en plus sûrs – verront leurs réserves s'épuiser en moins d'un siècle. Le second mode, utilisant des neutrons rapides (comme les surgénérateurs), en est encore au stade de prototype. Les réserves énergétiques de ces réacteurs (dits de quatrième génération) pourraient atteindre plus de mille ans. Alors: pas de problème...

Vraiment?

Rappelons que quatre mille ans se sont écoulés depuis le début de l'ère pharaonique et deux mille depuis l'ère romaine. Mille ans sont vite passés à l'échelle de la lignée humaine qui perdure depuis des centaines de milliers d'années. Il faut maintenant prévoir à long terme. Raison supplémentaire pour favoriser les solutions pérennes, comme le solaire...

Un autre facteur, d'ordre psychologique, entre en jeu quant à l'avenir du nucléaire. Les bombes atomiques, les accidents nucléaires, Tchernobyl et les désinformations qui ont entouré cet accident, les menaces du terrorisme ont provoqué chez les citoyens une méfiance profonde, un rejet du nucléaire. Une sorte de diabolisation...

Quelle serait la réaction face à la décision d'installer ces réacteurs nucléaires de quatrième génération dont le coût et la sécurité restent à démontrer? Pour rencontrer la demande énergétique, il en faudrait plusieurs milliers... Dans ce contexte, les tentatives pour rassurer le public et l'amener à accepter ce mode d'énergie par des campagnes d'information me paraissent illusoires. La confiance n'est plus là... Plutôt que de prendre des décisions impopulaires qui pourraient provoquer des réactions violentes et faire perdre des voix, les gouvernants sont tentés d'ignorer les problèmes trop brûlants et de faire traîner les démarches jusqu'aux prochaines élections.

Le temps passant, la situation ne ferait alors que s'aggraver. Elle pourrait nous amener au bord d'une crise énergétique majeure. C'est le scénario que je redoute particulièrement pour les prochaines décennies si, entre-temps, on n'a pas développé considérablement l'utilisation des énergies renouvelables.

18

Les énergies pour demain (D)
La fusion de l'hydrogène

L'hydrogène est souvent considéré comme un grand espoir pour les besoins futurs de l'humanité.

Au départ, il faut éviter une confusion très fréquente sur le thème de «l'hydrogène comme source d'énergie». Ces mêmes mots sont employés pour décrire deux mécanismes complètement différents qu'il importe de bien distinguer:

– Premier mécanisme: la fusion de l'hydrogène en hélium, comme dans le Soleil et dans les bombes H. L'énergie obtenue est d'origine nucléaire; elle est dégagée par les noyaux. On parle de «fusion thermonucléaire». C'est le sujet de cette chronique.

– Second mécanisme: la combinaison de l'hydrogène et de l'oxygène pour faire de l'eau. L'énergie est alors d'origine atomique; elle est dégagée par la combinaison des atomes en molécules. Or il n'y a pas d'hydrogène libre sur la Terre. Il faut d'abord l'extraire de l'eau au moyen d'une autre source d'énergie. Ce n'est donc pas une énergie primaire (comme le pétrole), mais un moyen de stockage de l'énergie. Elle n'augmente pas nos réserves énergétiques, mais permet de les utiliser autrement. Pour le transport routier par exemple.

Revenons au premier mécanisme : la fusion thermo-nucléaire de l'hydrogène en hélium. Il s'agit bien d'une source d'énergie primaire qui pourrait, en principe, répondre à la demande énergétique pour des périodes de millions d'années. Contrairement à la fission de l'uranium, la fusion thermonucléaire engendre très peu de déchets. Mais tout ne sera pourtant pas sans problème. Les neutrons rapides émis par ces réactions engendrent une forte contamination radioactive des réacteurs et de leur environnement qu'il faudra démanteler après quelques décennies, tout comme les réacteurs contemporains.

La technologie de la fusion thermonucléaire, même dans sa version la plus simple, n'est pas encore au point. Très loin de là. On y travaille depuis un demi-siècle, les avancées sont importantes, mais la route est encore longue et incertaine...

Dans une première étape (celle qui est à l'étude en ce moment), la fusion de l'hydrogène en hélium exige la présence d'un gaz radioactif très polluant, le tritium, obtenu lui-même à partir d'un élément rare, le lithium, dont les réserves mondiales sont très limitées. Ce n'est que dans une version ultérieure, beaucoup plus difficile à mettre au point, que l'on pourrait parler de réserves illimitées ; on utiliserait alors uniquement l'hydrogène lourd, présent en grandes quantités dans les océans.

L'enjeu n'est pas seulement de réaliser la transformation de l'hydrogène en hélium, mais de rentabiliser cette fusion. C'est-à-dire d'en extraire plus d'énergie que l'on en injecte au départ. Les difficultés techniques sont gigantesques. Si grandes que personne ne sait si l'on parviendra à les surmonter. Et, si oui, quand ? Les paris sont ouverts. Ajoutons que plusieurs des meilleurs spécialistes sont passablement pessimistes. Affaire à suivre.

On serait tenté de dire : « On trouvera bien autre chose. » Pas si sûr. La science progresse et de nouvelles découvertes ont lieu régulièrement. Il n'est pas impossible, mais pas du tout certain, que de nouvelles formes d'énergie soient trouvées dans un avenir plus ou moins éloigné. Il paraîtrait donc fort peu sage de trop compter là-dessus. Il faut éviter de faire de l'avenir le lieu hypothétique des solutions à nos problèmes contemporains. On ne peut s'appuyer fermement que sur le présent.

Le projet ITER (International Thermonuclear Experimental Reactor), dont on discute aujourd'hui du lieu d'implantation (France ou Japon), s'inscrit dans cette démarche. Aux dernières nouvelles, l'Europe aurait décidé de construire une installation à Cadarache, en France. La pertinence de ce projet est critiquée par plusieurs physiciens nucléaires tant à cause de son prix exorbitant (et il ne s'agit que d'une première étape) que des incertitudes qui entourent encore ce mode d'obtention d'énergie. Il paraîtrait beaucoup plus astucieux d'investir des sommes équivalentes dans le développement des énergies renouvelables.

19

Les énergies pour demain (E)
Les négawatts

On prévoit un doublement de la demande d'énergie de l'humanité d'ici au milieu du XXIe siècle, ce qui correspondrait à l'équivalent de la puissance énergétique de plus de vingt-quatre mille réacteurs.

La population humaine est d'un peu plus de six milliards d'individus. Selon les démographes, ce nombre devrait atteindre près de dix milliards d'ici à quelques décennies et plafonner par la suite. La consommation moyenne individuelle serait alors d'un peu plus de 2 kilowatts par personne : l'équivalent de vingt ampoules électriques de 100 watts allumées en permanence. Il s'agit ici, rappelons-le, de valeurs moyennes à l'échelle de la planète.

Ajoutons maintenant un autre élément important : la disparité de l'utilisation des énergies dans le monde. En Amérique du Nord, la consommation par personne est de 11 à 12 kilowatts. En Europe de l'Ouest, de 5 à 6. Dans la majorité des pays en développement, elle est nettement inférieure à 1 kilowatt par personne. On estime généralement que le minimum vital est de 1 à 2 kilowatts par personne (variable, bien sûr, selon les conditions climatologiques).

Ces chiffres parlent d'eux-mêmes. Si tous les habitants de la Terre dépensaient autant d'énergie que les Nord-Américains, il faudrait l'équivalent de plus de cent mille réacteurs avant cinquante ans. Toutes les réserves terrestres seraient rapidement épuisées. Même la totalité de l'énergie solaire interceptée par la Terre serait vraisemblablement insuffisante.

Pour remédier à ce manque, une seule solution : les «négawatts». C'est-à-dire les économies d'énergie. De gré ou de force, les humains y seront amenés. Nous avons d'ailleurs déjà eu des épisodes réussis. Après la crise du pétrole, en 1972, on a assisté à une importante réduction des gaspillages d'énergie dans nos pays riches. La demande énergétique a continué à croître, mais plus lentement. On est passé d'un doublement tous les dix ans à un doublement tous les quarante ans. Et ce ralentissement se poursuit.

Pourtant, il est évident qu'il faudra beaucoup plus de rigueur et de sévérité. Le domaine le plus inquiétant aujourd'hui est celui du transport routier (il y a plus de cinq cents millions de véhicules dans le monde). En croissance rapide dans les pays en développement, l'industrie du transport pose des problèmes non seulement par l'énergie qu'elle accapare, mais aussi par l'émission de gaz carbonique – qui réchauffe la planète – et d'oxydes d'azote – qui provoquent les pics d'ozone toxiques.

Pourtant, chaque année, les voitures deviennent en moyenne de plus en plus voraces (multiplication des 4 × 4 et autres voitures puissantes, la publicité encourageant leur achat).

Koffie Annan disait : « Faire quelque chose coûte cher, ne rien faire coûtera beaucoup plus cher. » À l'échelle des gouvernements, il faudrait imposer le ferroutage des camions, l'extension et même la gra tuité des transports en commun. Et, à l'échelle individuelle, favoriser l'achat de véhicules de faible consommation et diminuer les vitesses et les climatisations.

Ainsi arriverons-nous, espérons-le, à contrôler nos dépenses énergétiques et à atteindre notre objectif à long terme : avoir de l'énergie pour tout le monde, tout en ne bousillant pas irrémédiablement notre belle planète bleue.

20

Animaux « nuisibles »
et « mauvaises » herbes

L'emploi des mots, les psychologues nous le répètent depuis longtemps, influence nos prises de position et notre comportement. À cause de leurs connotations négatives injustifiées, il importerait d'extraire certaines expressions de notre vocabulaire.

Je veux évoquer ici les termes « mauvaises herbes » et « animaux nuisibles ». Ces expressions sont nées dans des situations historiques aujourd'hui dépassées. Leur utilisation prolonge un état d'esprit que nous avons toutes raisons de vouloir faire disparaître à cause des implications nocives qu'elle perpétue.

Les vivants existent de leur plein droit et n'ont pas à se justifier d'exister. Les mots « espèces nuisibles » et « mauvaises herbes » ne sont que le reflet d'un préjugé séculairement ancré selon lequel les plantes et les animaux sont là pour nous servir et que nous avons sur eux un droit discrétionnaire. Ces termes sont la traduction directe de notre égocentrisme (ou anthropocentrisme), de notre ignorance et de notre étroitesse d'esprit. Les animaux considérés comme nuisibles ne le sont que pour nous ; et il en est de même des herbes prétendument mauvaises.

En réalité, nous ne sommes qu'une espèce parmi tant d'autres. Ajoutons, en passant, que, face aux extinctions multipliées dont nous sommes aujourd'hui responsables, nous mériterions, plus que toute autre, le qualificatif d'espèce nuisible à l'harmonie de la nature et à la préservation de la biodiversité.

Les études scientifiques des dernières décennies ont profondément transformé notre regard sur les organismes vivants qui coexistent avec nous. Sur notre planète, toutes les espèces sont intégrées dans de vastes écosystèmes dont elles sont interdépendantes et dans lesquels elles jouent un rôle spécifique. Les populations sont maintenues en équilibre par un jeu permanent de reproduction et de prédation.

La prolifération de certaines espèces peut devenir indésirable par rapport aux objectifs des êtres humains : cultures, élevages, préservation de l'habitation et du territoire. Souvent, ces proliférations sont dues à l'élimination par notre zèle intempestif de prédateurs naturels qui contribuaient à l'équilibre des populations.

C'est ici qu'une attitude globale face à la nature doit intervenir. Elle imposera ses exigences sur le choix des actions à entreprendre. Une intervention peut être justifiée à la condition qu'une étude scientifique appropriée ait désigné sans ambiguïté les responsables du problème.

Il importe également de s'assurer que la nature de l'intervention ne provoquera pas de nouveaux problèmes plus graves encore. L'utilisation de poisons répandus dans la nature est particulièrement déconseillée à cause de l'impact de ces produits sur d'autres organismes non visés et par la pollution chimique qu'elle entraîne. Les appâts toxiques déposés dans les étangs pour combattre les ragondins ainsi que les anti-coagulants destinés aux campagnols, mais également mortels pour les rapaces, en sont de regrettables illus-trations.

Mais revenons à notre question de vocabulaire. Que suggérer pour remplacer ces expressions ?

Au lieu de « mauvaises herbes », on peut dire par exemple « herbes sauvages » (dans notre jardin, nous utilisons « plantes non invitées »). Et l'on peut rem-placer « animaux nuisibles » par « animaux indési-rables ».

Chacun ici peut faire preuve d'imagination. Toutes les suggestions sont les bienvenues…

Cette importance donnée au vocabulaire n'est pas purement académique : c'est tout notre rapport à la nature qui est en jeu. Dans le contexte de la crise pla-nétaire que nous traversons, une modification profonde de ce rapport devient une nécessité fondamentale.

21

Le retour du loup

Au début du XXe siècle, la quasi-élimination de la loutre de mer par les chasseurs de fourrures sur la côte Ouest de l'Amérique du Nord entraîna la prolifération des oursins qui constituent la base de son alimentation. Résultat : diminution importante des populations d'algues et appauvrissement des fonds marins en poissons. En réaction, la protection ultérieure des loutres provoqua la diminution de la population d'oursins et la réapparition des algues ainsi que des poissons.

Cet exemple illustre pour nous l'impact inattendu et souvent désastreux des interventions humaines sur la nature, tout en nous permettant de mieux connaître les interdépendances entre les espèces, éléments essentiels aux équilibres des écosystèmes.

Fort de ces expériences, on a introduit il y a quelques années, dans le parc de Yellowstone, en Californie, une vingtaine de loups provenant du Canada.

Les effets de cette réintroduction ont été hautement bénéfiques à la faune et à la flore. On a d'abord constaté une diminution du nombre de wapitis, un grand cerf dont les populations excessives provoquaient de graves dommages à la nature. Des plantes dont ces animaux broutaient à l'excès les jeunes pousses sont réapparues, en particulier les peupliers dans les vallées. Les fleurs de montagne foisonnent à nouveau sur les coteaux où elles attirent de nombreux papillons pour les butiner. Les chants de plusieurs espèces d'oiseaux depuis longtemps inaudibles se font également entendre. Et les castors, qui avaient déserté le parc - vraisemblablement à cause de l'absence de leurs plantes favorites –, construisent à nouveau des barrages auprès desquels de nombreux organismes aquatiques ont ressuscité.

Ce n'est pas un miracle.

Cette réintroduction du loup constitue en quelque sorte une expérimentation grandeur nature. Elle illustre l'importance de la notion d'échelle de prédation. Dans une nature en équilibre, les espèces animales sont à la fois consommatrices et proies. Le lapin de garenne qui tond le pré peut devenir, un instant plus tard, la victime du renard. L'épervier capture un merle qui mangeait des vers de terre nourris de feuilles mortes. Au cours des millions d'années de l'évolution, une hiérarchie s'est élaborée dans laquelle chaque espèce forme un maillon de la chaîne alimentaire. Au sommet trônent les grands prédateurs : rapaces, loups et grands félins.

L'élimination de ces prédateurs par l'activité humaine – chasse ou occupation des territoires – perturbe gravement cet équilibre. Prenant conscience de son importance pour la santé de la nature dont nous dépendons, il faut le rétablir. À l'exemple de l'expérience de Yellowstone, cette responsabilité nous revient. Aucune autre espèce ne pourrait penser cette réhabilitation et la mener à bien.

Il importe toutefois de ne pas occulter les problèmes que de telles entreprises entraînent. Nous sympathisons avec la détresse du berger qui découvre au matin ses brebis égorgées par les loups. Il faut retrouver ou inventer les moyens de protection des troupeaux dans les alpages : grillages et chiens, par exemple. Il nous faut redécouvrir l'importance et la fragilité du monde rural que nous avons largement négligé et qui pourtant nous est indispensable.

22

Première allégorie du radeau

Sur un radeau se retrouvent les six rescapés d'un naufrage : deux hommes, deux femmes, un loup et une louve (très gentils). Tous sont épuisés et affamés au dernier degré. Comme dans la chanson *Il était un petit navire...*, les vivres viennent à manquer. Il faut se décider à sacrifier l'un des passagers. Pour notre allégorie, nous supposons que ces loups sont les derniers survivants de l'espèce. Si l'on en tue un, ce sera la fin des loups sur la Terre.

À ceux qui n'hésiteraient pas à sacrifier un loup, on pourrait demander ce qui motive leur choix. La réponse serait vraisemblablement : « L'être humain est supérieur à l'animal. » On demanderait alors : quels sont les critères à partir desquels vous placez l'humain au-dessus du loup ? La réponse impliquerait sans doute les mots « langage, intelligence, rationalité, conscience ». Tous ces mots qui ont traditionnellement servi à justifier la présomption de la supériorité humaine. Cela paraît éminemment raisonnable et tombe sous le poids de l'évidence.

Certes. Pourtant, un moment de réflexion nous conduit à constater que ces critères ont été définis par les membres de la communauté humaine qui, par là, se place elle-même au sommet. Comment pourrait-il en être autrement puisque les autres espèces vivantes ne parlent ni n'écrivent ? Mais reconnaissons que cette position qui consiste à être à la fois juge et partie serait inacceptable en cour de justice, et que les affirmations correspondantes ne seraient pas recevables.

Du coup, tout esprit qui entend rester dans l'objectivité ne peut que ressentir un malaise. La question « en quoi les loups pourraient-ils ne pas être nos inférieurs ? » nous laisse devant un vide mental qui ne révèle peut-être que la limitation de notre esprit, et en parallèle son outrecuidance à être la mesure de toutes les valeurs.

Personnellement, je reconnais que, placé devant un tel choix, je sauverais un humain plutôt qu'un loup. Mais uniquement, je l'avoue, par esprit de fraternité. Une sorte de solidarité familiale qui s'inscrit dans un registre essentiellement émotionnel.

Revenons maintenant à notre radeau et poursuivons la fable en supposant que ces loups sont, en fait, les représentants de toutes les espèces vivantes sur la Terre. Et que, suite à leur disparition, les êtres humains seraient les seuls habitants de la planète. Nous retrouvons ici le problème de la crise de la biodiversité que nous traversons en ce moment. Nous le savons maintenant : tous les vivants sont incorporés dans le gigantesque écosystème planétaire dont la destruction entraînerait inéluctablement notre propre élimination. Notre existence et notre survie dépendent étroitement du traitement que nous réservons à nos compagnons de voyage.

Sauver les hommes, sauver les animaux : même combat.

23

Vivre avec les ours

Les événements récents au sujet des ours pyré-néens, la mort de la dernière ourse autochtone et les manifestations de protestation qui ont suivi ont remis sur le terrain la question de la coexistence des humains avec les grands mammifères.

Au Canada, mon pays natal, il y a beaucoup d'ours, des dizaines de milliers… Dans les montagnes, les habitants ont appris à vivre avec eux. C'est «l'entente cordiale» que je souhaite ardemment voir s'établir aussi entre les habitants des Pyrénées et ces animaux.

Je vais raconter quelques aventures vécues dans mes jeunes années, des anecdotes qui me reviennent en mémoire chaque fois que mes amis de la Ligue Roc pour la préservation de la faune sauvage me parlent de l'ours.

Un premier souvenir se situe au cours d'un été de camping, près d'un immense lac sauvage. Notre petite troupe arrive sur une île densément couverte de coni-fères pour y monter la tente. Pendant la première nuit, des secousses brèves agitent soudain la toile et se répè-tent plusieurs fois. Un coup d'œil à l'extérieur nous montre une forme sombre qui se déplace sous les haubans fraîchement arrimés au sol. C'est un ours brun. Il s'agite et inspecte le sol de son museau, manifestement en quête de nourriture. Nous nous enfermons dans nos sacs de couchage, peu rassurés. Il y a donc des ours sur l'île…

Le lendemain : conciliabule et bonnes résolutions. Plus jamais de nourriture près de la tente. Éloigner la batterie de cuisine de notre lieu de couchage. Enfermer les vivres et les déchets dans des récipients hermétiques (les ours adorent les poubelles mal fermées). Et aussi, fierté plus tard de claironner à nos familles : « Il y avait des ours ! Mais pas de problème : nous avons cohabité pacifiquement. »

Un autre souvenir nous mène dans les Montagnes rocheuses, à l'ouest du Canada. J'avais effectué à pied l'ascension d'un sommet. L'expédition avait pris toute la journée et je redescendais rapidement pour rejoindre la ville… Je m'en souviens comme si c'était hier.

La nuit tombe. Le sentier est étroit. Dans la pénombre grandissante, en face de moi, une forme mouvante s'approche… Démarche chaloupée d'une très vieille femme… Une Indienne peut-être ? Non, c'est un ours… À une dizaine de mètres maintenant…

Je m'arrête. Que faire ? Ai-je vraiment envie de croiser un ours sur ce sentier ? On dit qu'ils ne sont généralement pas dangereux. Mais quand même… Mieux vaudrait sans doute faire demi-tour ? Remonter et choisir un autre chemin. Mais le jour baisse rapidement et je n'ai pas de lampe de poche ; grave oubli.

Je regarde l'ours : il a fait exactement comme moi. Il s'est immobilisé. Nous nous regardons. Il se dresse pour mieux me fixer comme je le fixe moi-même. Que se passe-t-il dans sa tête d'ours ? Est-il plongé dans les mêmes réflexions ?

Je décide alors de ne pas m'approcher davantage. Je fais demi-tour. En douceur. Lentement je rebrousse chemin, pas très fier, mais je trouve ma décision parfaitement justifiée quand même !

Après quelques pas, je tourne la tête pour constater qu'il a lui-même fait demi-tour !

Je vois son dos qui s'éloigne lentement, de sa même démarche chaloupée, et descend le sentier que je remonte. Et il tourne la tête dans ma direction... comme moi je le fais dans la sienne... Nous nous éloignons, nous fixant mutuellement, ne nous perdant pas des yeux jusqu'au premier tournant du sentier. Je m'amuse à l'idée que nous avons eu les mêmes réflexes, la même réaction. Et j'adorerais savoir ce qui se passe en ce moment dans sa tête.

Fin de notre courte rencontre.

24

La Guyane française

La forêt de la Guyane française, un des derniers grands massifs forestiers tropicaux d'un seul tenant de notre planète, héberge une extraordinaire variété d'animaux (mammifères, oiseaux, reptiles, amphibiens) et de végétaux (fleurs, arbres), tous plus merveilleux les uns que les autres. Son territoire renferme de fortes potentialités en matière d'écotourisme qui apporterait aux habitants des revenus importants tout en préservant la biodiversité planétaire.

Aujourd'hui, la situation de ce paradis naturel se détériore rapidement à cause de la chasse à outrance, du braconnage et du trafic d'oiseaux exotiques. Les toucans, les pics et les perroquets sont autorisés à la chasse, certains chasseurs en tuant sans retenue. Des oiseaux devenus rares, comme l'agami trompette, sont encore victimes d'une chasse intensive qui conduit à une régression alarmante de leurs populations. Le trafic des grands aras a entraîné leur quasi-disparition le long du littoral et des grands fleuves, alors qu'ils abondaient jusqu'en 1960. Des associations de protection de la nature tentent de réduire ces massacres, mais les autorités locales (Office national de la chasse et de la faune sauvage) ne bénéficient jusqu'ici que de moyens dérisoires dans un territoire aussi gigantesque.

À ces problèmes s'ajoutent les dégâts provoqués par les chercheurs d'or (les orpailleurs), qui opèrent le plus souvent en toute illégalité, dans les bassins des cours d'eau où ils déversent de grandes doses de mercure pour l'extraction du métal convoité. Intégré dans la chaîne alimentaire des organismes aquatiques, le mercure remonte jusque dans la nourriture des populations indigènes où il provoque de graves maladies du cerveau.

La Guyane héberge la base de lancement aéronautique de Kourou. De là sont envoyées dans l'espace les fusées Ariane, porteuses d'instrumentations hautement sophistiquées. Des missions interplanétaires lancées à partir de cette base vers les planètes du système solaire (Mars, Jupiter, Saturne) ont été à l'origine d'importantes moissons de connaissances dont l'Europe, et la France en particulier, a toutes raisons de se réjouir.

À juste titre, la France est fière de Kourou, sa fenêtre technologique aux yeux des autres nations. Il est urgent qu'elle réagisse rapidement pour cesser d'avoir honte de la lamentable fenêtre écologique qu'elle présente au monde : la forêt guyanaise.

Signalons que le ministère de l'Écologie s'est récemment ému de cette situation désastreuse. Des mesures ont été prises en vue d'interdire l'utilisation du mercure pour l'exploitation aurifère et de contrôler le saccage de la faune et de la flore en Guyane comme dans d'autres territoires français (Nouvelle-Calédonie, Réunion). Mais il faut persévérer !

25

Perplexité (A)

«Les forêts précèdent les civilisations, les déserts les suivent», écrivait Chateaubriand il y a deux siècles. Chaque fois que des hommes ont mis pied sur des territoires encore vierges, ils y ont laissé des traces trop souvent déplorables : détérioration des milieux naturels, destruction de la forêt primaire, assèchement des zones humides, extinction des espèces endémiques.

Pourtant, les hommes ne sont pas les seuls à modifier leur environnement par leur activité. Les passages de troupeaux d'éléphants laissent aussi des marques profondes. Ils piétinent et déracinent des quantités de buissons et d'arbustes qui souvent ne s'en relèvent pas.

De même, l'arrivée d'une colonie de castors dans un lac altère considérablement la nature du paysage. Ces rongeurs abattent des arbres, construisent des barrages. L'eau monte et de vastes régions boisées se transforment en marécages où les arbres ont tôt fait de mourir.

La taupe laisse, au matin, des traces de son activité nocturne sous forme de multiples monticules de terre noire qui désespèrent les jardiniers.

Cependant, les actions de ces animaux – éléphants, castors, taupes et bien d'autres encore – ne sont jamais nocives à long terme. À l'intérieur des forêts, les arrachages de plantes par les troupeaux d'éléphants ouvrent des clairières où la lumière pénètre. Des niches nouvelles sont ainsi créées et colonisées : elles enrichissent la biodiversité locale.

Les étangs, les prairies inondées, les marécages engendrés par le zèle des castors deviennent des lieux où foisonne la vie végétale et animale. Dans les troncs des arbres morts, encore dressés vers le ciel, nichent les pics et les sittelles. Les bois décomposés par l'eau hébergent des multitudes d'espèces aquatiques qui y trouvent leur nourriture. Le passage des taupes dans le sous-sol de nos jardins mélange et diversifie la texture des sols en modifiant leurs populations de micro-organismes. Les tunnels décompactent et oxygènent les terreaux ; ils deviennent, en hiver, des abris pour les batraciens et servent, tout au long de l'année, d'ateliers pour le lent travail des fourmis.

Quel mauvais sort semble donc avoir été jeté sur l'espèce humaine ? Pourquoi son activité paraît-elle incapable de se transformer à long terme en une action favorable à la nature ?

26

Perplexité (B)

Chaque espèce vivante modifie son environnement. Son activité affecte l'écosystème dans lequel elle est intégrée. De proche en proche, les écosystèmes s'influencent mutuellement et la biosphère entière s'en trouve modifiée.

Ces interactions peuvent être localement destructrices : des arbustes sont piétinés et arrachés par les troupeaux d'éléphants, des terrains sont noyés par les castors et les taupes endommagent les jardins. Mais, à plus long terme, elles favorisent l'apparition de nouveaux habitats et, en conséquence, aboutissent à des enrichissements biologiques.

Nous nous sommes demandé : pourquoi n'en est-il pas de même de l'activité humaine ? Pourquoi son influence sur la biosphère semble-t-elle si irrémédiablement néfaste ? Qu'est-ce qui différencie aussi radicalement les conséquences de l'activité humaine de celles des autres espèces vivantes ?

Deux caractéristiques de cette interaction semblent particulièrement impliquées : son ampleur, mais surtout sa rapidité.

Prenons comme exemple l'arrivée des humains sur

une île vierge. Au-delà de la chasse intensive, le délestage par les navires de rongeurs et de germes bactériens inconnus en ces lieux a régulièrement été une des causes les plus importantes de l'élimination rapide des espèces locales. Ces organismes auparavant protégés par leur insularité ne possédaient aucune défense comportementale ou immunitaire contre des agresseurs extérieurs. De plus, les rats dévoraient les œufs des oiseaux qui nichaient au sol.

Pourtant ces îles, tout isolées qu'elles fussent, n'en étaient certes pas à leur première invasion. Des arbres déracinés par des tempêtes ont sans doute dérivé jusqu'à leurs rivages, apportant des bactéries, des insectes et peut-être même des rongeurs transportés sur ces embarcations de fortune. Les dégâts potentiellement très graves résultant de ces crises naturelles restaient tout de même limités dans l'espace. Tout se dégrada véritablement avec l'arrivée des humains.

Il convient d'ajouter ici un résultat récent des recherches en écologie. La stabilité relative d'un écosystème, sa capacité de récupération après un traumatisme dépendent étroitement du nombre d'espèces vivantes qui s'y trouvent en interdépendance. Une diminution massive de sa biodiversité peut le mettre sérieusement en péril. Et, si l'écosystème réussit à survivre, le temps de sa reconstitution sera à la mesure de l'importance de l'élimination qu'il a subie.

Nous avons là tous les éléments requis pour comprendre la différence entre les agressions animales et celles dont les humains sont responsables.

D'une part, la dévastation humaine s'étend aujourd'hui non pas seulement à des territoires limités, mais bien à l'ensemble de la planète. On s'attend à une disparition d'au moins 20 % à 30 % des espèces végétales et animales d'ici quelques décennies.

D'autre part, les vitesses de ces agressions dues à l'activité humaine sont bien trop rapides par rapport au temps requis pour que les systèmes récupèrent. Il faudrait des siècles, sinon des millénaires, pour que les modifications de la biosphère, dont nous sommes la cause, puissent s'intégrer positivement dans le cours de l'évolution de la vie terrestre.

Mais cette réponse appelle une question beaucoup plus troublante : comment les humains sont-ils arrivés à générer des interactions aussi puissantes et aussi rapides au point qu'ils pourraient en être eux-mêmes victimes ?

27

Le lemming
et le harfang des neiges[1]

J'ai devant les yeux une photo qui me plonge dans une grande perplexité. Je vais essayer de vous la décrire. Un vaste paysage d'hiver enneigé avec ciel très bleu et montagnes couvertes de conifères. Sur la plaine éblouissante de blancheur, un oiseau magnifique vole au ras du sol. C'est un harfang des neiges, une chouette blanche aux yeux couleur bleu acier. Les ailes largement étalées et légèrement relevées aux extrémités, il plane. Une image de perfection et d'élégance à vous couper le souffle.

Sa future proie est clairement en vue : un lemming – un petit rongeur beige – qui trottine dans la neige, maintenant exposé à son prédateur depuis qu'il s'est engagé dans la prairie. Ses traces de pas laissent deviner l'endroit où, dans un instant, le harfang le cueillera, le soulevant dans les airs en un geste gracieux, parfaitement réussi – une technique sûre, mise au point durant les millions d'années d'évolution de son espèce.

1. Le harfang des neiges est l'oiseau emblématique du Québec.

Simplement un fait divers, répété depuis des temps immémoriaux et superbement fixé sur la pellicule par le photographe aux aguets.

Fait divers qui laisse le spectateur pensif, partagé entre deux réactions. Le malaise provient du sentiment que ces réactions sont irréconciliables.

– Première réaction : admiration sans limites pour la perfection technologique de l'exploit. Spectacle de la beauté de la nature.

– Seconde réaction : compassion pour le lemming dont la vie va se terminer là, transpercé par les griffes du harfang aux yeux impassibles. Sentiment d'indignation spontanée et de révolte contre cette mise à mort sanglante à laquelle nous assistons, impuissants.

Pour le harfang, le lemming est la nourriture qu'il va porter à ses petits, exerçant là, correctement et diligemment, son devoir de nourricier familial. Pour le lemming, que ses petits attendent également au terrier, le harfang est l'horreur absolue qui va le projeter hors de l'existence.

Il ne convient pas, dit-on, de se laisser troubler par de tels événements de la vie animale. Il faut accepter sans états d'âme cette réalité sur laquelle nous ne pouvons rien. Sans les étapes successives de l'évolution biologique « rouge de griffes et de crocs » selon les mots de Darwin, notre espèce ne serait pas advenue, et nous ne serions pas là pour en discuter.

Nous nous sommes demandé pourquoi les activités humaines sont si intensément et si rapidement destructrices de l'environnement au point que les écosystèmes n'arrivent pas à se reconstituer.

La raison est à rechercher dans le niveau technologique atteint par l'humanité. L'histoire du harfang et du lemming nous rappelle – pour employer un langage parfaitement anthropomorphique – que la nature semble impitoyablement investie dans le développement de l'efficacité, condition essentielle pour la survie des espèces. Peut-être qu'avec le cerveau humain cet investissement a montré ses contradictions profondes ?

La question est posée. La réponse est entre nos mains…

28

Le principe de précaution

Depuis le début de l'ère industrielle, la technologie scientifique joue dans notre monde un rôle de plus en plus important. Elle influence massivement le devenir de nos sociétés. Il suffit de mentionner ici les OGM (organismes génétiquement modifiés), la production de molécules nouvelles pour la pharmacopée et les recherches en technologie nucléaire pour la production d'énergie civile et d'armes guerrières.

Le temps n'est plus où le scientifique pouvait vivre hors du monde, dans sa légendaire «tour d'ivoire», et donner libre cours à son esprit inventif sans aucun souci de l'impact de ses projets sur la nature et la société. Il lui faut contrôler ce qu'on a appelé, à juste titre, le délire technologique : « On fait tout ce qu'on peut faire», et son corollaire : «Si on ne le fait pas, quelqu'un d'autre le fera.»

C'est dans ce contexte que se situe la pertinence du principe de précaution inclus dans la Charte de l'environnement.

Ce principe de sagesse, énoncé en 1994 par les Nations unies, s'applique aux projets ou innovations dont les résultats pourraient avoir de sérieuses incidences sur l'environnement. Il s'exprime ainsi : quand il y a risque de perturbations graves ou irréversibles, l'absence de certitudes scientifiques absolues ne doit pas servir de prétexte pour différer l'adoption de mesures. Ce principe est une invitation à la vigilance qu'impose la situation planétaire contemporaine.

Plusieurs voix se sont élevées contre le principe de précaution, arguant qu'il constituerait un frein à la recherche, et donc à l'imagination humaine. Il faut le voir au contraire comme une incitation à poursuivre plus avant les recherches pour s'assurer que les innovations de la technologie soient bénéfiques à l'humanité et à l'environnement...

Quelques exemples d'erreurs du passé suffisent à crédibiliser son importance :
— la triste histoire de la thalidomide dans les années 1960, un médicament contre les nausées de la grossesse, responsable de malformations génétiques chez les enfants ;
— la fabrication des CFC, cause de la destruction de la couche d'ozone ;
— l'hécatombe des abeilles provoquée par des pesticides ;
— l'utilisation de l'amiante pour isoler les bâtiments, un matériau depuis longtemps soupçonné d'être cancérigène et que l'on a enfin décidé aujourd'hui d'éliminer à grands frais...

Pour que l'humanité ne soit pas la victime de ses propres activités, pour que la vie ne soit pas intolérablement difficile pour nos enfants et nos petits-enfants, il est indispensable que la Charte de l'environnement ne soit pas simplement un document «bien-pensant». Elle doit être efficace, comme l'a été la Déclaration des droits de l'homme, dont elle est la suite naturelle, dans le contexte de la crise contemporaine.

29

Les limites de la démocratie

Nous sommes tous des démocrates. Winston Churchill disait: «La démocratie est le plus mauvais système de gouvernement excepté tous les autres.» Pourtant, nous y tenons tous, et nous nous battrons pour la conserver.

Mais il nous faut bien reconnaître que, face à la crise planétaire contemporaine, le système démocratique est confronté à ses propres limites.

Le problème le plus urgent est sans doute celui du réchauffement planétaire. L'année 2003, une des plus chaudes depuis plus d'un siècle, nous a rappelé la gravité de la situation, sonnant ainsi l'alarme sur ce qui nous attend si nous ne réagissons pas rapidement Cette augmentation accélérée de la température est majoritairement due à l'émission de gaz carbonique par l'industrie humaine.

Pour freiner effectivement ce réchauffement, il faudrait diminuer de 60 % les émissions de gaz carbonique. Que font, que peuvent faire les gouvernements, ceux qui sont en mesure de prendre les décisions qui devraient s'imposer?

La situation est bien résumée par la réponse que fit

à ce sujet l'ex-vice-président des États-Unis, Al Gore, à l'ex-président Bill Clinton : « Le minimum requis pour sauver la planète est bien supérieur au maximum possible pour ne pas perdre les prochaines élections. » En d'autres termes, les échelles de temps de la démocratie (quatre à cinq ans) sont manifestement trop courtes pour intégrer et gérer les problèmes contemporains. Quel gouvernement se risquerait à prendre les mesures nécessaires au freinage du réchauffement (par exemple, taxations proportionnelles aux émissions de gaz carbonique, étiquetage énergétique des véhicules, etc.) face à l'impopularité évidente de telles mesures et au risque de perdre les prochaines élections ? Les récentes initiatives de notre ministère de l'Écologie ont été rapidement bloquées par le ministère des Finances. Motivation : ça coûtera trop cher.

L'acronyme NIMTOO, pour « not in my term of office » (pas durant mon mandat électoral), décrit bien l'attitude généralement adoptée par les hommes politiques de nos démocraties lorsqu'ils sont confrontés à des difficultés majeures : les laisser en héritage au prochain gouvernement.

À cela s'ajoute une autre caractéristique du fonctionnement de nos gouvernements : la lenteur des procédés décisionnaires et des mises en œuvre des décisions. Des mois et même des années se passent souvent avant que les démarches administratives des ministères atteignent le terrain où les gestes concrets s'accomplissent. Les changements de couleur des gouvernements au pouvoir ne font rien pour les accélérer, bien au contraire. Face au rythme effarant des détériorations planétaires, les atermoiements ministériels et surtout interministériels ajoutent à notre inquiétude.

Confrontée à un tel tragique destin, la politique arrivera-t-elle à prévoir à long terme, à prendre rapidement les décisions qui s'imposent et à accélérer son fonctionnement pour mieux agir dès à présent ? Notre avenir en dépend..

30

Une mauvaise nouvelle : Cancún

L'annonce de l'échec de la conférence de l'OMC (Organisation mondiale du commerce) à Cancún, au Mexique, en 2003, a été une bien mauvaise nouvelle. Entre autres objectifs, cette conférence cherchait à obtenir des accords sur les échanges commerciaux pour faciliter les industries et le commerce des pays pauvres. Rien n'a été obtenu. Je voudrais mettre en évidence la gravité de cet échec.

Des dizaines de milliards de dollars sont dépensés chaque année pour prévenir les attaques terroristes qui sont de plus en plus fréquentes et de plus en plus désastreuses. Les spécialistes sont généralement sceptiques quant à l'efficacité des moyens mis en œuvre pour prévenir de tels événements.

On peut mettre en parallèle la multiplication de ces actes avec l'accroissement dramatique de la disparité des richesses entre les humains. L'écart entre les pays riches et les pays pauvres, entre les revenus des plus nantis et des moins fortunés, ne cesse d'augmenter d'année en année. La misère, la haine et le désespoir alimentent le terreau du terrorisme. Les plus démunis sont les plus passibles de s'investir dans des actions suicidaires. L'activité des extrémistes nous en donne de tristes exemples.

Que s'est-il passé à Cancún ? Quel rapport avec la misère et le terrorisme ? Prenons un exemple : la culture du coton. De nombreux pays pauvres, en particulier le Mali, sont à la recherche de marchés étrangers pour exporter leur récolte. Mais, problème : les États-Unis refusent de revoir les subventions qui permettent à leurs agriculteurs de produire à meilleur prix que les Maliens, et la Commission européenne et le Japon ne se montrent pas à la hauteur des attentes des pays du Sud. Les réductions de ces subventions auraient permis l'ouverture des marchés aux Africains. Elles ont été refusées à Cancún. Selon une étude de la Banque mondiale, un accord de réduction des tarifs et des subventions aurait rapporté aux pays du Sud plusieurs centaines de milliards de dollars dans la prochaine décennie.

Pourquoi cet échec ? Par égoïsme, bien sûr, de la part des pays nantis. Mais aussi par incohérence de comportement… On a raté une occasion de redistribuer les richesses dans le monde et, vraisemblablement, en parallèle, de réduire la menace terroriste contre laquelle on investit par ailleurs des sommes considérables. Le Sénat américain vient d'y consentir 87 milliards de dollars…

En fin de compte, c'est une fois encore l'espèce humaine qui risque de trinquer. Un nuage sombre de plus sur son avenir.

Pourtant, en 2004, un accord a été signé à Genève fixant le cadre futur des négociations. Le nuage sombre pourra-t-il disparaître ? L'avenir le dira.

31

Seconde allégorie du radeau

Après un naufrage, des rescapés ont trouvé place sur un radeau. L'embarcation est petite, mais confortable, et contient des provisions pour plusieurs jours. Les naufragés attendent les secours qui ne devraient pas tarder.

Sur la mer, un homme arrive en nageant et appelle à l'aide. On se précipite pour l'accueillir. On lui fait une place, on lui offre à boire. Il exprime sa reconnaissance à ses sauveteurs. L'ambiance est bonne et la tendance est au partage. «Entre humains il faut s'entraider», etc.

Mais voici que trois nouvelles têtes s'approchent du radeau. Des opinions divergentes s'expriment maintenant. «Le radeau n'est pas si grand, les vivres sont limités… », disent timidement certains passagers, aussitôt blâmés par les autres: «Refus d'assistance à personne en danger… passible de poursuites judiciaires!» On fait taire les récalcitrants, on se tasse encore. Le radeau est plus lourd… Et l'aspect des sacs de provisions paraît désormais bien rétréci aux yeux qui les fixent.

Ce sont maintenant cinq personnes qui s'avancent

en nageant, transies de froid et à bout de forces. Manifestement, une famille entière, père, mère et enfants. L'ambiance sur le radeau a changé. La discussion est vive. Certains plaident la générosité ; d'autres veulent prendre les rames pour garder les nageurs à distance.

Tous admettent maintenant le risque de couler. Il faut limiter les admissions. Mais comment établir des critères valables ? Pendant que la discussion se poursuit, d'innombrables têtes nouvelles apparaissent parmi les vagues et nagent lentement vers le radeau.

Cette scène, on l'aura compris, est une allégorie de la situation des émigrés sur notre planète. Elle veut illustrer la difficulté qu'il y a, quelquefois, à penser la réalité par rapport à laquelle, il faut bien le dire, nous sommes souvent bien démunis. Chacun d'entre nous est prêt à partager sa nourriture avec ceux qui meurent de faim, à accueillir dans nos États de droit ceux qui sont à la merci de dictateurs cruels et sanguinaires. Nous ouvririons toutes grandes les portes de nos maisons surtout si nous pouvions voir de nos yeux la différence entre le sort de ces malheureux et le nôtre, nous, les nantis de tant de privilèges.

Mais nous savons que les nombres jouent contre nous et contre notre «bon cœur». Plus d'un milliard de personnes vivent en dessous du seuil de pauvreté, un nombre qui croît continuellement. Famine et eau polluée sont leur lot quotidien. L'arrivée parmi nous de centaines de millions d'Indiens, de Pakistanais et d'Africains déstabiliserait complètement notre mode de vie et, selon toute probabilité, nous entraînerait tous dans la même misère. Pour rien au monde nous n'accepterions de jouer le rôle du gendarme qui refoule les familles de «boat people» sans ressources. Mais nous fermons hypocritement les yeux quand les autorités de nos États renvoient les réfugiés dans leur pays d'origine.

Cette allégorie n'a d'autre but, je le répète, que d'illustrer notre impuissance à intégrer, dans nos réflexions et notre comportement, cette étrange et parfois cruelle réalité dans laquelle nous sommes immergés.

32

Le billard planétaire

Les collectes de méteorites, ces pierres qui tombent du ciel, se poursuivent un peu partout sur la planète. Elles nous procurent des renseignements de première valeur sur l'origine et l'histoire de notre système solaire.

On a découvert ces dernières années plusieurs météorites provenant de la planète Mars. Cette identification est basée sur la présence au sein de ces pierres d'atomes de gaz nobles (néon, argon), dans des proportions semblables à celles de l'atmosphère de la planète – telle qu'analysée par les sondes martiennes. On trouve également dans nos collections des pierres qui nous viennent de la Lune.

Comment ces objets ont-ils pu passer d'une planète à l'autre ? Selon toute vraisemblance, il s'agit au départ de la chute sur Mars d'un astéroïde, mais avec un angle d'incidence très faible – presque à l'horizontale du point de chute. Sous l'impact, comme par ricochet, des morceaux du sol martien ont été projetés dans l'espace et libérés du (relativement faible) champ de gravité de leur planète d'origine. Attirés ensuite vers le Soleil, certains débris ont rencontré au passage notre planète et sont venus atterrir sur notre sol.

Des calculs montrent que de tels échanges se sont vraisemblablement produits de nombreuses fois entre les quatre planètes intérieures (Mercure, Vénus, la Terre et Mars, en plus de la Lune). Ainsi, contrairement à ce qu'on a cru longtemps, les planètes ne sont pas des corps totalement isolés. Par le jeu de ces incessantes collisions météoritiques, elles échangent de la caillasse.

Échangent-elles autre chose ? Voilà une question fascinante qui émoustille aujourd'hui l'esprit des chercheurs. Est-il possible, par exemple, que ces débris rocheux contiennent des formes de vie, certes très primitives, des bactéries par exemple, qui voyageraient à bord de ces vaisseaux spatiaux, comme des touristes interplanétaires, pour venir se poser sur des planètes différentes et y poursuivre leur existence ?

Des études récentes suggèrent que cette idée est loin d'être farfelue. Deux faits nouveaux vont dans ce sens :

– Le premier : la découverte d'une propriété très étonnante du comportement de certains organismes microscopiques : la capacité de se replier sur eux-mêmes pour entrer dans un état dit de «dormance» quand les conditions extérieures deviennent trop hostiles (froid ou manque d'eau), et d'y rester pendant des périodes extrêmement longues (on parle de millions d'années…).

– Le second : la découverte de formes de vie, appelées «extrêmophiles», capables de s'adapter à des conditions physiques inimaginables jusqu'ici, sur le plan de la température, de l'acidité, de la radioactivité et des sources d'énergie.

Les implications de ces nouvelles découvertes sont fascinantes. Les planètes pourraient s'ensemencer mutuellement. La vie terrestre vient peut-être d'une autre planète du système solaire. Des Martiens, sous forme bactérienne, sont peut-être déjà venus sur la Terre. Et peut-être sommes-nous tous, à l'origine, des «petits hommes verts».

Il est intéressant de noter ici la résurgence désormais plausible d'une théorie déjà proposée au XIXe siècle, la «panspermie», mais longtemps tenue pour farfelue...

33

La permanence de la vie terrestre (A)
La chaleur de la Terre

Nos prochaines chroniques se pencheront sur un phénomène remarquable : la permanence de la vie sur la Terre depuis quatre milliards d'années. Cette étude nous apportera des renseignements significatifs tant sur le plan géologique que sur le plan astronomique.

Distinguons d'abord deux périodes importantes dans l'évolution biologique :

- Pendant les trois premiers milliards d'années, les vivants sont constitués d'une cellule unique (unicellulaires). Ils sont microscopiques et confinés aux nappes aquatiques.
- Puis, il y a moins de un milliard d'années, apparaissent les premiers organismes constitués de plusieurs cellules (multicellulaires) : plantes et animaux.

La vie unicellulaire (bactéries, algues bleues) est extrêmement robuste. Elle peut s'adapter à des perturbations majeures de l'environnement. Les organismes multicellulaires sont beaucoup plus fragiles, beaucoup plus vulnérables.

On admet généralement que, pour apparaître et perdurer, la vie exige des températures permettant à l'eau de rester à l'état liquide ; donc une température comprise entre 0 et 100 degrés Celsius (centigrade) à la pression de notre atmosphère. Depuis quelques années, nous savons pourtant que, dans des situations extrêmes – où, par exemple, la Terre serait passée par des périodes glaciaires prolongées sur toute sa surface –, la vie bactérienne aurait pu entrer en dormance et se réveiller plus tard quand les conditions physiques se seraient améliorées.

À des températures plus élevées, la vie se heurte à des limites d'ordre physico-chimique. Les analyses les plus récentes fixent à environ 125 degrés Celsius la température à ne pas dépasser sous peine de destruction des molécules complexes qui interviennent dans les phénomènes vitaux.

Quels sont les facteurs qui déterminent la température de la surface terrestre ? On en compte quatre :
– la chaleur provenant de l'intérieur de la planète,
– la luminosité du Soleil,
– la distance entre la Terre et le Soleil,
– la composition de l'atmosphère, plus précisément sa capacité à retenir la chaleur solaire (effet de serre).

Dans cette chronique, nous parlerons de la chaleur terrestre.

Le système solaire est né de la contraction d'une nébuleuse galactique il y a un peu moins de cinq milliards d'années. Notre planète s'est constituée par les multiples collisions et l'agrégation d'une multitude de petits corps solides en orbite autour du Soleil. À sa naissance, en raison de la chaleur dégagée par les chocs et de la désintégration des isotopes radioactifs présents dans la nébuleuse – aluminium, calcium, uranium –, la Terre se présentait comme une gigantesque boule de lave incandescente, à plus de mille degrés.

Notre planète rayonnant sa chaleur dans l'espace, la température a progressivement décru, jusqu'à permettre la condensation de la vapeur d'eau qui se trouvait dans son atmosphère. Des observations de la cristallographie d'un minéral, le zircon, montrent que de l'eau liquide circulait sur la Terre moins de cent millions d'années après sa naissance.

Pourtant, on ne trouve aucune trace de vie avant plusieurs centaines de millions d'années. Faut-il s'en étonner? Pas nécessairement.

D'abord, nous ne savons rien de la durée de l'évolution des élaborations chimiques qui ont donné naissance à la vie, plus exactement aux manifestations de son existence que nous pouvons reconnaître. En d'autres mots, des formes primitives de vie ont pu apparaître très tôt mais ne pas laisser de traces identifiables aujourd'hui.

Et, d'autre part, les bombardements de météorites, particulièrement intenses à cette époque, ne favorisaient pas l'installation de la vie. Nous en reparlerons plus loin.

La permanence de la vie terrestre (B)
La lumière du Soleil

Nous nous interrogeons sur les implications géologiques et astronomiques de la permanence de la vie sur la Terre depuis près de quatre milliards d'années. Nous allons évoquer dans cette chronique le rôle du Soleil.

Rappelons brièvement ce que nous savons de son histoire. Né de la condensation d'une froide nébuleuse galactique, il y a plus de 4,6 milliards d'années, il s'est progressivement contracté et réchauffé pendant les premiers dix millions d'années de son existence. Sa lumière est passée de l'infrarouge initial au jaune que nous lui connaissons maintenant.

Cette contraction s'est terminée quand son cœur est devenu assez chaud (15 millions de degrés) pour amorcer la fusion nucléaire de l'hydrogène en hélium. À cette époque, il était moins lumineux qu'aujourd'hui (environ 25 % de moins). En conséquence, la chaleur solaire reçue sur la Terre était plus faible. Puis le Soleil a continué à se réchauffer plus lentement et, trois milliards d'années plus tard, il avait à peu près atteint sa luminosité présente. Depuis lors, sa température est pratiquement constante et, en conséquence, la chaleur émise dans le système solaire varie peu.

La surface solaire est le siège d'une importante activité magnétique qui varie selon un cycle d'environ onze ans. Tout au long de ce cycle, d'immenses taches sombres apparaissent puis disparaissent à sa surface. À certains moments, des éruptions éclatent, projetant dans l'espace de grandes quantités de matière ionisée. Des particules énergétiques se propagent alors dans tout le système solaire et provoquent parfois des dommages graves à la télémétrie et aux installations électriques terrestres. Notons qu'au cours de ce cycle répété tous les onze ans l'énergie lumineuse totale émise par le Soleil change extrêmement peu (moins d'un millième de sa valeur moyenne…). Mais les rayons plus énergétiques (ultraviolets, rayons X) subissent des variations plus importantes. Ce cycle semble avoir des effets visibles sur la Terre (pluviosité, sécheresse), dont les mécanismes sont mal compris, pourtant il ne semble pas, à notre connaissance, avoir joué un rôle significatif dans l'évolution de la vie terrestre.

La distance entre la Terre et le Soleil est un autre élément important pour notre sujet. C'est elle qui détermine la quantité de chaleur reçue par la surface terrestre. L'orbite de la Terre autour du Soleil est pratiquement circulaire ; en d'autres mots, tout au long de l'année, la Terre est quasiment à la même distance du Soleil, ce qui lui assure une insolation quasi constante.

Pas tout à fait cependant. À l'échelle de plusieurs milliers d'années, l'orbite terrestre varie légèrement. Elle s'allonge et change son orientation dans l'espace. On admet aujourd'hui que les périodes de glaciation qui se succèdent environ tous les cent mille ans (la dernière s'est achevée il y a environ vingt mille ans) sont largement causées par ces variations orbitales de la Terre, provoquant des modifications de l'insolation à l'échelle de plusieurs dizaines de milliers d'années.

L'orbite de la Terre a-t-elle toujours eu cette quasi-stabilité? Les observations des systèmes planétaires extrasolaires (exoplanètes) nous ont montré un phénomène tout à fait inattendu: l'existence de planètes dont les orbites hautement elliptiques les amènent tour à tour très près et très loin de leur étoile centrale. La quantité de chaleur reçue et, en conséquence, leur température superficielle subissent de grandes variations tout au long de leur révolution.

L'orbite de la Terre aurait-elle connu dans le passé des variations analogues? Rien d'impossible a priori. Mais la permanence de la vie terrestre nous apporte ici un nouveau renseignement astronomique. Si, dans ses premiers temps, notre planète – à l'instar des exoplanètes – a connu de grandes variations orbitales, celles-ci se sont fortement amenuisées et l'orbite est quasi circulaire depuis au moins trois milliards d'années: condition nécessaire pour la persistance de la vie.

Ajoutons cependant que les variations orbitales de la Terre ne suffisent pas à expliquer l'amplitude du phénomène des glaciations. Il faut une amplification de leur effet, amplification provenant d'autres facteurs d'origine terrestre qu'elles auraient simplement déclenchés. L'augmentation de la couche de glace, peut-être, qui accroît la quantité de lumière réfléchie par la Terre et diminue en conséquence la chaleur absorbée par le sol? Le sujet est très discuté par les planétologues...

35

La permanence de la vie terrestre (C)
La composition de l'atmosphère

Nous continuons notre interrogation sur les conditions géologiques et astronomiques nécessaires à la persistance de la vie terrestre depuis près de quatre milliards d'années. Nous avons déjà parlé de l'influence de la luminosité solaire et de la distance entre le Soleil et la Terre.

La composition chimique de l'atmosphère joue également un rôle de premier plan par le biais de l'effet de serre.

En resituant notre planète dans le système solaire on réalise mieux l'importance de sa place. Plus les planètes sont éloignées du Soleil, moins elles en reçoivent de chaleur. Mais que font-elles de cette énergie thermique ? C'est ici qu'intervient l'effet de serre qui leur permet de la retenir et de l'accumuler.

Si les planètes n'avaient pas d'atmosphère, la température de la surface de Vénus, plus proche que nous du Soleil, serait à + 20 degrés Celsius. Celle de notre planète serait à - 15 degrés. En conséquence, Vénus pourrait avoir de l'eau liquide. Chez nous, il n'y aurait que de la glace.

L'effet de serre engendré par l'atmosphère de Vénus, dense, riche en gaz carbonique, porte sa température à 480 degrés Celsius. La faible concentration de ce même gaz dans notre atmosphère nous fait aujourd'hui bénéficier d'une température moyenne de + 15 degrés Celsius.

L'atmosphère initiale de la Terre était composée surtout de gaz carbonique et, dans une moindre et incertaine mesure, de méthane et d'azote, sans oxygène libre.

La permanence de la vie sur notre planète nous indique que, contrairement à l'exemple vénusien, l'effet de serre chez nous n'a jamais retenu suffisamment de chaleur solaire pour laisser s'évaporer la totalité des nappes liquides indispensables à l'éclosion et au maintien des différentes formes de vie.

Les études géologiques nous montrent que la concentration de gaz carbonique a été beaucoup plus grande il y a quelques centaines de millions d'années (au temps des dinosaures). Les températures moyennes étaient alors de plus de 10 degrés au-dessus des températures présentes.

Nous connaissons mal les causes de ces élévations de concentration de gaz carbonique. S'agissait-il d'expulsions massives liées aux perturbations du magma interne : éruptions volcaniques, tremblements de terre ? Nous n'avons que des hypothèses. De même, des éjections de méthane, autre gaz à effet de serre, pourraient avoir influencé la température superficielle de notre planète.

Ces variations de la concentration des gaz à effet de serre et de la température ont vraisemblablement joué un rôle important dans l'évolution de la vie. Incapables de s'y adapter, de multiples espèces ont été éliminées. D'autres ont survécu et se sont diversifiées.

La permanence de la vie terrestre depuis près de quatre milliards d'années, confrontée à ces perturbations géologiques et climatologiques, illustre à l'évidence sa prodigieuse robustesse.

36

La permanence de la vie terrestre (D)
Le bombardement météoritique

Deux types de phénomènes d'origine extraterrestre sont susceptibles de modifier en profondeur le cours de l'évolution biologique : les chutes de météorites et les explosions stellaires.

Grâce à l'étude des cratères lunaires, nous connaissons maintenant assez bien l'histoire des collisions météoritiques dans notre région du système solaire. En l'absence d'eau, de glace et d'érosion à sa surface, la Lune a gardé intactes les cicatrices des chocs innombrables qu'elle a subis tout au long de son existence. Un simple regard vers notre satellite, même à l'œil nu, nous permet de constater la violence et l'étendue du phénomène.

Sur la Terre, les mouvements de la croûte et les glaciations successives en ont largement effacé les traces. Seuls les effets des plus récentes collisions (moins de quelques centaines de millions d'années) sont encore repérables.

L'étude de la surface lunaire nous montre que les bombardements météoritiques ont été particulièrement violents pendant les premiers cinq cents millions d'années du système solaire. Toute tentative d'élaboration de phénomènes vitaux à cette époque aurait été rapidement éradiquée par la chaleur dégagée. Plusieurs auteurs ont imaginé que la vie a pu apparaître puis disparaître plusieurs fois, éliminée par des collisions particulièrement dévastatrices. Ce n'est donc peut-être pas un hasard si les plus vieilles traces de vie terrestre ne dépassent pas quatre milliards d'années. C'est à partir de cette période que les bombardements ont beaucoup diminué.

Des pierres tombent encore du ciel à notre époque. Fort heureusement, elles sont beaucoup plus rares et beaucoup moins massives. On estime que les bolides capables de modifier profondément l'ensemble de la biosphère ne nous atteignent en moyenne qu'une fois par cent millions d'années… On évalue à environ quarante le nombre de ces événements catastrophiques depuis l'apparition de la vie microbienne (quatre milliards d'années) et à une dizaine depuis l'apparition des organismes multicellulaires (les plantes et les animaux) il y a un milliard d'années.

Le constat de la pérennité de la vie nous permet ainsi de tirer des renseignements d'ordre planétaire :
– Premier renseignement : durant le dernier milliard d'années, même si plusieurs chocs ont eu lieu qui modifièrent radicalement l'évolution de la flore et de la faune, aucun n'a été assez violent pour faire disparaître entièrement les organismes relativement fragiles et peu adaptables que sont les êtres multicellulaires.
– Second renseignement : si l'on considère maintenant, non pas simplement le dernier milliard d'an-

nées, mais les quelque quatre milliards de la vie terrestre, aucun choc n'a réussi à exterminer les organismes bactériens, tellement plus résistants. De telles extinctions ont cependant pu se produire pendant les premières centaines de millions d'années de la vie terrestre.

Ces renseignements constituent de précieuses indications sur l'histoire du système solaire.

37

La permanence de la vie terrestre (E)
Les étoiles

Quels renseignements pouvons-nous tirer de la per-manence de la vie terrestre sur les événements astro-nomiques qui auraient pu l'exterminer ?

Le phénomène qui, plus que tout autre, aurait pu jouer un rôle majeur sur l'évolution de la vie, serait l'explosion d'une étoile en supernova au voisinage du système solaire. Un tel événement, qui ponctue la mort d'une étoile massive, peut s'observer jusqu'à plusieurs milliards d'années-lumière. Pendant plu-sieurs jours, l'astre brille comme plus d'un milliard de soleils.

Comme l'explosion d'une gigantesque bombe ato-mique, une supernova émet des radiations sur toutes les longueurs d'onde, en particulier des rayonnements gamma, particulièrement néfastes pour les organismes vivants. Éclatant à quelques années-lumière de notre planète (la distance des plus proches étoiles), une super-nova pourrait vraisemblablement éradiquer la vie sur les terres émergées. La vie aquatique serait mieux pro-tégée parce que l'eau absorbe le rayonnement gamma.

Les annales de l'observation astronomique réperto-rient une vingtaine de supernovae dans notre ciel. Les plus anciennes remontent à près de deux mille ans. Cependant, à cause de la position de notre planète dans le plan de la Voie lactée, de nombreux cas ont dû échapper à l'observation. Leur lumière, absorbée par l'opaque matière du plan galactique, ne nous serait pas parvenue.

Une étude statistique sur l'ensemble des galaxies voisines montre que la fréquence des supernovae est de deux à trois par siècle et par galaxie. Ainsi, depuis l'apparition de la vie microbienne, une centaine de millions de supernovae ont éclaté dans notre Voie lactée, dont environ trente millions depuis l'apparition des organismes multicellulaires.

La permanence de la vie continentale nous apprend qu'aucune supernova n'est venue déverser ses mortels rayons gamma à faible distance du Soleil pendant le dernier milliard d'années de la vie terrestre.

D'autres phénomènes liés au périple du Soleil autour du centre de la galaxie auraient également pu influencer notre biosphère : par exemple, la plongée du Soleil dans une de ces nombreuses nébuleuses opaques que nous observons dans la Voie lactée, même à l'œil nu. Le Soleil parcourt une révolution complète autour du centre galactique en environ deux cents millions d'années. Au cours de son existence, il a traversé plusieurs dizaines de fois les bras spiraux de notre galaxie, contenant chacun sa cargaison de nébuleuses opaques.

Quels pourraient être les effets sur la biosphère d'une plongée du système solaire dans ces nuages sombres ? Vraisemblablement, une diminution substantielle de l'insolation solaire pendant plusieurs millions d'années. Certains auteurs ont tenté de relier ces passages obscurs aux grandes extinctions de notre paléontologie terrestre, mais les évidences en faveur de cette corrélation ne sont guère convaincantes.

Autre risque évité : un passage du Soleil suffisamment près d'une autre étoile, à moins d'une année-lumière par exemple. Résultat vraisemblable : une perturbation importante des orbites planétaires ; les planètes seraient éjectées soit vers le Soleil, soit dans l'espace interplanétaire, avec évidemment des répercussions catastrophiques sur la vie terrestre.

En résumé, nous avons glané un ensemble de renseignements intéressants, d'ordre géologique, planétologique et astronomique, à partir du simple constat de l'existence ininterrompue d'êtres vivants sur la Terre depuis près de quatre milliards d'années…

38

L'humanité s'humanise-t-elle ? (A)

Une succession ininterrompue de conflits meur-
triers, de guerres et de massacres, telle est l'impression que laisse un parcours rapide de l'histoire des
nations depuis plusieurs milliers d'années. Que peut-
on espérer, devant un tel constat, de l'avenir de la
société humaine ?

Pour tenter de réagir à ces sombres pensées, j'aimerais poser une question hautement litigieuse : y a-t-il
eu, malgré tout, un progrès dans l'évolution du comportement humain lorsqu'on l'envisage à long terme ?

On répond généralement : « oui » sur le plan de la
technologie, « non » sur le plan de la morale.

Je vais pourtant tenter de démontrer qu'il y a également progrès sur le plan du comportement moral. Je
me ferai, comme on dit, l'avocat du diable (expression
mal choisie ici : il vaudrait mieux dire l'avocat de
l'ange…). Je prétendrai que l'histoire des hommes, au
travers de ses sombres péripéties, s'est effectivement
accompagnée d'une humanisation.

Pour en discuter, il convient de prendre du recul. Je
citerai d'abord plusieurs faits qui me semblent significatifs. Les grands empires historiques depuis quatre

mille ou cinq mille ans (Égypte, Rome) semblent avoir été largement insensibles à ce qu'on appelle aujourd'hui les «droits de la personne» (de toutes les personnes). Il y a deux mille ans, pendant les jeux du cirque, des humains s'étripaient et s'entre-tuaient devant des foules excitées. Des malheureux étaient livrés aux bêtes affamées à la grande joie des spectateurs. Les prisonniers de guerre étaient vendus comme esclaves, ou encore crucifiés et exposés sur la route triomphale du «valeureux vainqueur».

Il y a quelques siècles encore, les condamnés étaient exécutés en public, par le feu, par la hache puis la guillotine.

Jusqu'à la fin du XVIIIe siècle, des bateaux charges d'esclaves appareillaient pour les Amériques.

Avec le siècle des Lumières, la situation change progressivement. Le XIXe et le XXe siècle voient l'abolition officielle de l'esclavage, la naissance de la Croix-Rouge, la réglementation du sort des prisonniers de guerre, l'émancipation des femmes dans un grand nombre de pays.

Oui, mais... Il convient ici d'objecter que des formes d'esclavage existent toujours : main-d'œuvre clandestine, tourisme sexuel, etc. Selon une enquête de l'Organisation internationale du travail des Nations unies, le trafic d'êtres humains est en augmentation (près de un million de personnes par an). Les massacres n'ont pas cessé (Arméniens, Juifs, Tutsis, etc.) La condition des femmes reste encore lamentable en de nombreux endroits : remémorez-vous la situation en Afghanistan avant 2001. Non seulement l'instruction, mais également l'hospitalisation leur étaient refusées. Ces faits ne sont-ils pas en contradiction avec l'idée d'un progrès moral, d'une humanisation de l'humanité?

Je dirais que non... Aujourd'hui, ces faits sont connus et généralement blâmés à l'échelle internationale. Les horreurs sont nommées comme telles par une large fraction de l'humanité. Et même si les réactions restent encore trop faibles, ces pratiques sont combattues.

Le tsunami de décembre 2004 a provoqué un élan de générosité planétaire.

Plutôt que d'une amélioration de la morale, il faudrait parler d'une évolution de la sensibilité humaine qui rend certaines actions socialement inacceptables et, par là, influence les comportements. Il faut parler de l'émergence à l'échelle de l'humanité d'un sentiment de compassion, toujours croissant et de plus en plus exprimé. C'est déjà beaucoup. Et cela vaut la peine qu'on le mentionne...

39

L'humanité s'humanise-t-elle ? (B)

J'ai présenté l'idée d'un progrès, au long de l'histoire, du comportement des humains envers leurs semblables. Idée fort discutable, il est vrai, mais susciter la discussion est un des buts de ces chroniques.

La création d'États de droit dans de nombreuses régions de la planète, l'abolition de l'esclavage, l'amélioration du traitement des prisonniers de guerre, la libéralisation du statut des femmes sont autant de manifestations significatives d'une évolution positive. Et même si des abus existent toujours, le seul fait qu'ils soient largement blâmés est encore un signe de progrès.

Je voudrais étendre cette argumentation à notre rapport aux animaux.

Les associations de protection des animaux ont été créées il y a un siècle à peine. Leur nombre croît rapidement et leurs moyens d'action sont de plus en plus importants. Les résultats obtenus à ce jour sont impressionnants. J'en profite pour signaler que je suis moi-même le président de la Ligue Roc pour la préservation de la faune sauvage, une association créée en 1976 par le grand humaniste Théodore Monod. D'autres organismes cherchent à améliorer le sort des animaux destinés à la nourriture. Les élevages intensifs de poulets en batterie et de cochons en caissons (si petits qu'ils n'ont même pas la possibilité de se retourner) sont progressivement interdits. Les coutumes culinaires asiatiques qui consistent à battre longtemps les chiens ou à ébouillanter les carpes avant de les achever pour en améliorer la saveur paraissent de plus en plus révoltantes aux yeux des consommateurs. Les oppositions exprimées à l'encontre de l'expérimentation animale pour les besoins de la pharmacopée – je ne veux pas entrer ici dans le débat de sa justification ou non – en sont encore des manifestations. La Déclaration universelle des droits de l'animal, proclamée le 15 octobre 1978 à l'Unesco, montre bien l'évolution de la sensibilité moderne sur cette question. Même si les abus sont encore nombreux, le seul fait qu'ils soient signalés et désapprouvés va encore dans le sens d'un progrès.

Pourtant, il convient de voir la réalité telle qu'elle est. Le meurtre est inhérent à la nature. La vie animale en est tout empreinte. Il faut manger et éviter d'être mangé. Conseil pratique : évitez de vous trouver sans arme face à un lion, il ne vous ratera pas. Il ne s'agit pas de nier ce que l'on pourrait appeler, d'une façon tout à fait anthropomorphique, la «cruauté» de la nature. À ce sujet, je vous conseille la lecture de «Douce nuit» de Dino Buzatti dans son livre *Le K*, qui en donne des exemples impressionnants. Notre devoir d'humain est de chercher à la réduire. Le lion ne sait pas qu'il peut nous faire souffrir, mais nous savons que nous pouvons le faire souffrir. Et cela nous donne une responsabilité… Les Amérindiens s'excusaient avant d'abattre un animal : « Désolés, on a faim, c'est toi ou nous ! »

40

Vers un régime végétarien? (A)

L'évolution de l'humanité vers une prise de conscience croissante de la sensibilité animale et des traitements souvent cruels que nous leur infligeons aura-t-elle un impact sur notre régime alimentaire? Des études scientifiques récentes nous montrent qu'au-delà de ces considérations humanitaires d'autres facteurs militent en faveur d'une diminution progressive de la consommation de la viande au profit d'un régime végétarien.

La notion fondamentale ici est celle de «chaîne alimentaire». Au bas de la chaîne, les plantes recueillent l'énergie du Soleil en combinant le gaz carbonique de l'atmosphère et l'eau du sol, formant ainsi des molécules organiques comme les sucres. Les animaux herbivores (vaches, moutons) ou granivores (volailles) mangent les plantes sous diverses formes. Les carnivores (lions, loups), qui se nourrissent d'herbivores (antilopes, chamois ou rongeurs), se situent au sommet de la chaîne alimentaire.

Le parcours, tout au long de cette chaîne, s'accompagne d'une importante déperdition énergétique. Pour obtenir de sa nourriture un gramme de protéines, le mouton en prend une dizaine aux plantes et le lion une dizaine au mouton. Si l'on prend en considération l'énergie solaire utilisée, un gramme de céréales est au moins une dizaine de fois plus rentable, plus économique, que un gramme de bifteck.

Ces propos n'avaient pas beaucoup d'implications pratiques dans le passé : les hommes n'étaient pas très nombreux et l'utilisation de l'énergie solaire par l'humanité restait relativement faible.

Aujourd'hui, la situation est complètement différente. Nous utilisons, directement ou indirectement, près de la moitié de la matière organique planétaire produite par les plantes. La production mondiale de céréales est d'environ deux milliards de tonnes par an. Ces céréales sont soit directement mangées par les humains (blé, riz, maïs, etc.), soit données aux animaux (bovins, ovins, volailles) et ensuite consommées par les humains, après leur transformation en viande. Si toute la population humaine mangeait la même proportion de viande que les habitants des pays riches, cette production de céréales ne pourrait nourrir que le tiers des habitants de la planète. Si, au contraire, toute l'énergie captée par les plantes était absorbée directement (céréales, légumineuses, légumes, fruits), on pourrait nourrir trois fois plus de monde qu'actuellement.

Dans le contexte de la crise contemporaine, ces notions deviennent particulièrement importantes. D'une part, la population humaine continue d'augmenter – on s'attend à ce qu'elle plafonne autour de huit à dix milliards vers le milieu de ce siècle. D'autre part, la production de nourriture à l'échelle mondiale régresse depuis une dizaine d'années. La stérilisation des terres par l'irrigation excessive et par les pesticides, la surpêche et la pollution des eaux en sont les causes majeures.

Dans une optique optimiste sur l'avenir de l'espèce humaine, il semble vraisemblable que l'on assistera à une diminution notable des élevages animaliers au profit des cultures céréalières. En d'autres mots, on assignera de plus en plus de surfaces arables aux plantes et de moins en moins aux pâturages.

41

Vers un régime végétarien ? (B)

Deux éléments présentés dans la chronique précédente laissent entrevoir la possibilité que l'humanité devienne de plus en plus végétarienne.

Le premier élément est d'ordre physico-chimique. Il concerne l'utilisation de l'énergie solaire par les plantes et les animaux. Parce que les herbivores doivent d'abord manger des végétaux pour se nourrir, chaque gramme de protéines animales exige environ entre dix et cent grammes de protéines végétales. Il est donc beaucoup plus économique, sur le plan de l'énergie consommée, de se nourrir de végétaux que d'animaux. Face aux restrictions alimentaires que l'humanité rencontrera de plus en plus à cause, d'une part, de l'augmentation de sa population, et, d'autre part, de la diminution des stocks de nourriture aussi bien terrestre que marine, ce fait prendra probablement une importance accrue dans le choix du régime alimentaire des humains. Ajoutons que la méfiance engendrée par l'utilisation des farines animales, les épidémies de «vache folle», les diverses maladies des ovins, contribuera vraisemblablement aussi à ce changement de régime alimentaire.

Le second élément est relié à l'éveil d'une compassion active face à la souffrance non seulement des humains, mais aussi des animaux. La notion de droit des animaux est de plus en plus admise comme base de réflexion par l'opinion publique. Tout comme la perte de popularité – surtout chez les jeunes – de la chasse de loisir. Déjà, la chasse à courre est interdite dans plusieurs pays européens (Allemagne, Belgique, Écosse, Pays-Bas, Luxembourg…).

L'association de ces deux éléments – faible rendement protéinique de la viande et sensibilité croissante par rapport aux animaux – laisse penser que l'humanité deviendra de plus en plus à dominante végétarienne. En un sens, elle renouerait alors, mais pour des raisons différentes, avec un comportement plus archaïque : nos ancêtres simiens étaient vraisemblablement végétariens.

42

Sommes-nous seuls dans l'univers ? (A)

Le « bon sens »

La vie est-elle apparue sur d'autres planètes, autour d'autres étoiles, dans ce grand univers qui ne compte pas moins de cent milliards de galaxies contenant elles-mêmes chacune environ cent milliards d'étoiles ? Et, si oui : l'intelligence et la conscience ont-elles émergé au cours de l'évolution des organismes qui les peuplent ? Admettons-le franchement : notre ignorance, ici, est totale. Aucune donnée d'observation ne nous autorise à affirmer que la vie existe ailleurs que sur la Terre. Malgré de nombreuses heures d'écoute sur les meilleurs instruments (qui pourraient recevoir des signaux provenant de sources situées à des milliers d'années-lumière), aucun message n'a été capté par nos radiotélescopes, et aucun récit de débarquement de « petits hommes verts » n'a atteint le seuil de crédibilité requis pour entraîner la conviction.

Grâce aux programmes récents de recherches astronomiques, il est permis d'envisager une réponse dans les décennies à venir. Mais, pour le moment, force nous est de reconnaître que nous n'avons aucune certitude à ce sujet.

Cela ne nous empêche pas de spéculer...

La vie extraterrestre n'est-elle pas hautement probable ? Partant du fait vérifié que la vie est apparue au moins une fois dans l'univers (chez nous !), n'est-il pas déraisonnable, comme le prétendent certains, de supposer qu'en tant de lieux possibles elle ne serait apparue qu'à un seul endroit ?

Mais les arguments populaires habituels, dits de « bon sens », de « déduction raisonnable » et de probabilité, peuvent-ils être invoqués dans ce contexte ?

Première difficulté de cette argumentation : reconnaissons d'abord que la notion de « bon sens » est une notion humaine bien subjective, que toute déduction de ce type n'a de valeur que relative, et qu'elle ne peut, sans risques, être étendue à l'ensemble du monde. L'univers n'a pas à être « raisonnable ». Il est ce qu'il est, et c'est à notre raison de s'y adapter…

La seconde difficulté vient de l'utilisation de la notion de probabilité. Cette notion n'est applicable à un phénomène que si l'on en connaît toutes les alternatives. Au casino, par exemple, un joueur qui lance un dé peut calculer la probabilité d'obtenir un « trois », parce que le dé qu'il utilise est doté de six faces. Dans ce cas, la probabilité d'obtenir un trois est simplement de un sixième. Mais si on lui procure un autre dé dont on ne lui révèle pas le nombre de faces, il lui est impossible de faire un calcul de probabilités. Il lui manque une information essentielle : le nombre de résultats possibles de son lancer.

À cause de notre présente ignorance de l'ensemble et du déroulement précis des processus qui ont permis le passage de la matière inanimée à la matière vivante sur la Terre, nous devons renoncer à toute tentative de calculer la probabilité d'apparition de la vie dans un quelconque contexte planétaire.

Quels que soient la dimension de l'univers et le nombre de planètes potentiellement habitables, le fait que la vie soit apparue sur la Terre ne nous apprend rien sur la probabilité qu'elle existe ailleurs dans l'univers.

43

Sommes-nous seuls
dans l'univers ? (B)
L'argument des trois fenêtres

Grâce aux observations des grands télescopes, nous avançons rapidement dans l'exploration de notre univers. Une propriété du cosmos nous frappe de manière de plus en plus évidente : sa grande homogénéité. De chez nous jusqu'à des milliards d'années-lumière, on relève de grandes similitudes dans l'aspect et le comportement de la matière. C'est, un peu partout, passablement – mais pas exactement – pareil. À la fois au niveau des grandes structures (galaxies, nébuleuses, étoiles) et à celui des petites structures (molécules, atomes, particules élémentaires). Et les lois qui régissent la matière sont partout les mêmes.

L'imagerie astronomique nous permet d'observer le monde par ce que nous appellerons la « grande fenêtre ». On constate que l'univers est une sorte d'archipel dont les îles sont les galaxies. On les regroupe selon leurs formes : spirales, elliptiques, irrégulières… Ces formes évoluent en fonction de l'âge de l'univers. Dans ces galaxies, on observe une multitude d'étoiles classifiées selon leur température, leurs couleurs et d'autres paramètres. Mais, d'une galaxie à l'autre, les astres montrent de grandes analogies.

Par la « petite fenêtre », ouverte grâce à l'analyse de la lumière des astres au moyen des spectroscopes, on peut observer et répertorier les populations d'atomes et de molécules. Résultat remarquable : nous retrouvons les mêmes atomes partout, les mêmes que dans nos laboratoires de physique terrestre. Aucun atome inconnu sur la Terre n'a été détecté dans le ciel, jusqu'aux limites du cosmos observable (sauf l'hélium, détecté d'abord dans le Soleil et retrouvé plus tard sur la Terre).

De même, la radioastronomie nous a révélé la présence dans notre galaxie, comme dans bien d'autres galaxies voisines, de molécules interstellaires déjà familières à nos chimistes. Fait remarquable : toutes les molécules incorporant plus de trois ou quatre atomes – certaines en ont une centaine – contiennent un nombre important d'atomes de carbone. Le carbone semble être, sur la Terre comme au ciel, l'élément de choix des architectures moléculaires.

Il nous reste encore à pouvoir observer par la troisième fenêtre, la fenêtre qui s'ouvrirait sur des structures de dimensions intermédiaires entre les atomes et les galaxies. La fenêtre qui correspondrait vraisemblablement aux organismes vivants, des virus jusqu'aux baleines. Cette fenêtre nous est encore fermée, d'où notre impossibilité aujourd'hui de savoir si la vie existe ailleurs que chez nous. Elle pourrait bien s'ouvrir rapidement grâce aux ambitieux programmes de recherches spatiales.

Pourtant, les résultats des observations par la petite et la grande fenêtre nous permettent d'énoncer un argument de plausibilité : l'argument d'homogénéité cosmique. Il s'énonce comme suit : tenant compte des grandes similarités observées aussi bien dans les macrostructures que dans les microstructures, on peut supposer que les structures intermédiaires présentent des analogies avec celles qui nous sont familières sur la Terre. Les formes vivantes, si elles existent, révéleraient sans doute une grande diversité (comme sur la Terre), mais les caractéristiques communes resteraient nombreuses. Cette dernière proposition est d'ailleurs renforcée par la nécessité pour les vivants de satisfaire aux contraintes liées aux exigences de la vie elle-même : puiser de l'énergie, rencontrer la compétition, se reproduire, etc.

Que vaut cet argument de l'homogénéité des structures pour appuyer la thèse de la vie extraterrestre ? À mon avis, il est suggestif, mais sans plus. Le débat est loin d'être terminé...

44

Sommes-nous seuls dans l'univers ? (C)

L'objection de Fermi

Nous avons d'abord reconnu n'avoir aucune preuve de l'existence d'êtres vivants extraterrestres. Puis nous avons admis que les arguments de bon sens et de probabilité ne nous sont ici d'aucun secours.

Nous avons alors développé l'argument de l'homogénéité des structures cosmiques, à grande échelle (étoiles, galaxies) et à petite échelle (atomes, molécules), pour suggérer que cette homogénéité rend plausible (mais pas certaine) l'existence de structures de dimensions intermédiaires : les organismes vivants.

Abordons maintenant la thèse opposée à l'aide d'une argumentation proposée vers 1950 par le physicien Enrico Fermi, pour défendre l'idée que nous pourrions bien être les seuls êtres pourvus d'intelligence dans le cosmos. S'interrogeant au sujet des extraterrestres, il disait : « Où sont-ils ? Je ne les vois pas autour de moi. »

Quel rapport avec notre sujet ? Certaines étoiles, nous le savons, sont beaucoup plus vieilles que le Soleil. Leurs planètes pourraient donc être habitées depuis plus longtemps que ne l'est la Terre. Les hypothétiques civilisations qui s'y seraient développées pourraient avoir atteint un niveau technologique bien supérieur au nôtre.

Or, après seulement quelques décennies de développement des techniques astronautiques, nous pouvons déjà quitter notre Terre et explorer la surface d'autres planètes du système solaire : Mars, Saturne, Jupiter. Nous ne sommes pas en mesure de rejoindre les étoiles voisines, mais, au rythme où la science et la technologie progressent, nous pourrions y accéder dans un avenir pas trop lointain. Rappelons qu'à la fin du XIXe siècle les vitesses maximales atteintes par les véhicules de fabrication humaine étaient inférieures à cent kilomètres à l'heure alors qu'à la fin du XXe elles dépassent trente mille kilomètres à l'heure. Quelles seront-elles en 2100 ? en 3000 ?

À la lumière de ces remarques, l'objection de Fermi s'énonce de la façon suivante : si d'autres intelligences existent, et si elles se sont engagées dans l'industrie astronautique, il n'y a aucune raison de penser que certaines d'entre elles ne soient pas déjà capables d'explorer le domaine des étoiles de la Voie lactée et même celui des galaxies extérieures. Leurs cosmonautes pourraient vraisemblablement débarquer sur notre planète et se retrouver parmi nous. Fermi regarde autour de lui et n'en voit pas.

Quelles pourraient être les raisons pour lesquelles nous n'aurions pas encore été visités (ni même contactés…) par ces extraterrestres ?

Mais, avant de répondre à cette question, posons nous-en une autre : devrions-nous nous réjouir d'apprendre un jour que des visiteurs de l'espace ont débarqué sur notre sol ? Bien sûr, notre curiosité serait grande d'entrer en contact avec eux, de nous instruire sur leur vision du monde, sur leur philosophie de la vie et sur leurs avancées scientifiques et technologiques, manifestement plus grandes que les nôtres, puisqu'ils maîtriseraient les vols interstellaires alors que nous en serions encore loin...

Mais, question troublante : quelle serait leur attitude à notre égard ? S'ils arrivaient chez nous en conquérants, comme les Espagnols au Mexique il y a quelques siècles, notre sort serait loin d'être enviable. Nous ne serions vraisemblablement pas en mesure de nous opposer avec succès à leurs techniques supérieures. Il faudrait alors compter sur leur magnanimité et leur désir de convivialité. Mais s'ils ressemblaient à certains humains, et si l'on se fie aux récits des conquêtes coloniales, cette espérance pourrait bien être illusoire...

45

Sommes-nous seuls dans l'univers ? (D)
Les risques technologiques

Si la vie extraterrestre existe un peu partout dans notre univers, si des civilisations se sont développées sur d'autres planètes, si elles ont atteint, avant nous, le stade de technologie astronautique requis pour entreprendre des périples interstellaires et peut-être même intergalactiques, comment expliquer que nous n'ayons reçu, jusqu'ici, aucun visiteur et, en tout cas, aucun message radio attestant de leur présence dans notre ciel ? Ce vide peut-il être pris comme un argument contre la thèse de la vie extraterrestre ? Cela nous indique-t-il que nous sommes seuls dans l'univers ?

Il importe ici de rappeler que Fermi formulait sa célèbre question « Où sont-ils ? Je ne les vois pas autour de moi » vers les années 1950, à une période où sévissait ce qu'on a appelé la « terreur nucléaire ». Deux puissances ennemies, les USA et l'URSS, s'affrontaient dans une guerre froide, armées chacune de milliers de mégatonnes d'ogives nucléaires installées dans des silos souterrains ou sous-marins et prêtes, à tout instant, à détruire le camp adverse. Nous savons depuis la publication des archives du Kremlin qu'à plusieurs reprises des incidents ont failli déclencher l'assaut catastrophique qui aurait pu rayer l'humanité de la planète.

Fermi faisait alors la remarque suivante : une civilisation qui aurait atteint le niveau technologique requis pour visiter l'univers arriverait vraisemblablement, à peu près en même temps, à maîtriser l'énergie nucléaire et à fabriquer des bombes atomiques.

D'où la question angoissante : quel est l'intervalle de temps moyen, pour une civilisation donnée, entre le début des communications spatiales et le déclenchement d'un conflit qui éliminerait une espèce intelligente, ou, du moins, l'affaiblirait au point de décourager tout effort spatial ?

Telle était donc, formulée implicitement par cette interrogation, la raison du pessimisme de Fermi face à la possibilité de vie intelligente extraterrestre : elle existe peut-être, mais elle ne dure pas. Elle s'auto-détruit.

Aujourd'hui, la situation politique est profondément différente. Avec le démantèlement des silos atomiques dans les années 1980, et celui de l'URSS après 1989, le spectre d'un holocauste nucléaire mondial s'est largement estompé. En ce moment, il n'y a guère de scénario crédible d'un affrontement nucléaire majeur, même si des menaces existent encore de conflits locaux en Asie par exemple, où des pays comme le Pakistan, l'Inde et la Corée du Nord développent des arsenaux atomiques.

Mais l'argument de Fermi peut également se formuler autour d'une autre menace sur l'avenir de l'humanité : la détérioration de la biosphère et des conditions de vie des êtres humains.

Les réussites récentes de l'exploration spatiale – atterrissages sur Mars, succès des missions vers Jupiter, Saturne et Titan, multitude de projets en active préparation vers d'autres objectifs planétaires – sont d'excellent augure pour l'avenir de l'astronautique.

Mais, en parallèle, l'accumulation d'informations inquiétantes sur la situation environnementale pose sérieusement la question de l'avenir de l'humanité. Et, conséquemment, de la poursuite prolongée de l'effort spatial.

L'humanité peut encore reprendre son destin en main et redresser la situation pour éviter son extinction ou son affaiblissement général. Ce n'est qu'à ce prix que l'exploration du cosmos pourra continuer et nous permettre de visiter toutes les merveilles de notre grand univers.

46

Extinction de l'humanité ? (A)
Le passé de la Terre

Visitant, il y a quelques décennies, le musée d'Histoire naturelle de Chicago, j'ai vu, dans la boutique des cartes postales, un poster illustrant les espèces animales déjà éteintes (le dodo de l'île Maurice, le pigeon migrateur américain, etc.) ou sérieusement menacées (le tigre blanc, le phoque moine). Tout au bas du poster étaient représentés un homme, une femme et leur bébé.

Surprise et choc ! Fallait-il prendre ce message au sérieux ? La population humaine ne cesse d'augmenter... Comment peut-on envisager son extinction ?

Ajoutons qu'à cette époque (il y a environ trente ans) les signes d'alarme sur l'état de la vie terrestre étaient beaucoup moins inquiétants qu'aujourd'hui. Certains disaient : «Une espèce disparaît, une autre apparaît, c'est le dynamisme normal de l'évolution. La vie est en perpétuelle transformation.» D'autres ajoutaient : «Nos énergies seraient mieux employées à aider les humains plongés dans la misère qu'à nous apitoyer sur les petites bêtes.»

Et pourtant...

Il est toujours intéressant, quand on veut aborder un problème, de procéder d'abord à une rétrospective historique. Y a-t-il eu des précédents, des situations analogues, dans le passé ?

Nous avons insisté, dans les chroniques précédentes, sur la persistance de la vie sur Terre depuis près de quatre milliards d'années. Des premiers milliards d'années, nous savons peu de chose. Nos connaissances plus sérieuses portent sur les dernières centaines de millions d'années. Nous pouvons alors suivre, mais avec encore beaucoup d'incertitudes, le nombre des espèces vivantes et le sort de leurs populations.

Les géologues ont mis en évidence l'occurrence, à plusieurs reprises dans les ères passées, de changements brusques et profonds dans la faune et la flore. L'étude des variétés de fossiles observées dans les strates du sol montre qu'à ces occasions nombre d'espèces avaient soudainement disparu (on parle ici d'extinction) et que, par la suite, de nouvelles espèces avaient vu le jour.

Les causes de ces extinctions sont encore mal connues, au moins pour les plus anciennes. On les attribue à des changements rapides de conditions climatiques provoquées par du volcanisme intense ou des chutes de météorites.

On compte généralement cinq grandes périodes d'extinction majeures dans l'histoire de la Terre. La troisième, datant de deux cent cinquante millions d'années, a failli être fatale aux organismes terrestres. On estime à 90 % la fraction des espèces alors éliminées. On peut même imaginer une catastrophe d'ampleur encore plus grande (impact d'un astéroïde ?) qui aurait éradiqué toute forme de vie, jusqu'aux plantes et aux bactéries. L'atmosphère se serait progressivement transformée en gaz carbonique, ramenant la Terre à son état des débuts du système solaire. Effet de serre et réchauffement garantis. Vénus n'est pas loin…

47

Extinction de l'humanité ? (B)
La disparition des dinosaures

La vie, maintenant que nous la connaissons mieux grâce aux avancées spectaculaires des sciences biologiques, ne cesse de nous impressionner par ses qualités de robustesse et d'adaptabilité. Dans les chroniques précédentes, nous avons parlé des grandes extinctions qui ponctuent l'histoire des espèces vivantes depuis plusieurs centaines de millions d'années. À ces occasions, certaines espèces disparaissent tandis que d'autres, moins fragiles, survivent et s'installent dans les niches écologiques devenues vacantes.

La quatrième extinction, il y a environ deux cents millions d'années, met fin au règne des ammonites, mollusques à structure spiralée dont la forme rappelle celle des cornes de bouc.

Peu de temps après cet événement apparaissent les premiers dinosaures et les premiers mammifères. Parmi ces derniers, nos ancêtres les plus lointains sont des petits rongeurs nocturnes qui évoluent peu. Au contraire, les dinosaures se multiplient, occupent bientôt tous les territoires disponibles, des régions polaires aux zones équatoriales, se diversifient, prennent toutes les dimensions, de quelques décimètres à quelques dizaines de mètres, et deviennent les maîtres du monde.

Une météorite nommée Chixculub (du nom de son lieu d'impact au Mexique) va bouleverser tout cela. Ce gros caillou d'environ dix kilomètres de diamètre, après avoir gravité autour du Soleil quelque part entre Mars et Jupiter, pendant des milliards d'années, se voit lentement dévié vers notre Terre par le champ de gravité des planètes voisines. En moins de trente secondes, il traverse l'atmosphère et s'écrase dans le golfe du Mexique, dégageant une énergie équivalant à des millions de bombes atomiques de grand format. Des monceaux de pierres, liquéfiées sous le choc, s'élèvent dans l'espace et retombent un peu partout sur la Terre. L'atmosphère s'échauffe localement à plus de mille degrés, et les forêts s'enflamment. D'opaques nuages de fumée sombre obscurcissent le ciel pendant des mois. Les rayons du Soleil ne peuvent les traverser, ce qui entraîne une interruption de la photosynthèse et une longue période de froid intense.

Grâce aux recherches géologiques dans les couches rocheuses témoins de cet événement, nous pouvons maintenant reconstituer les phases du retour de la vie après le choc, identifier les espèces recolonisatrices et leurs successeurs.

Nous ne savons pas comment les mammifères ont réussi à survivre à cette catastrophe planétaire. Mais ils sont toujours là, alors que les grands dinosaures ont disparu. Et, à leur tour, ils se diversifient rapidement. Leurs restes fossilisés apparaissent dans les couches géologiques postérieures à celle de l'extinction. Les premiers primates (qui vont donner les grands singes) sont déjà là il y a cinquante-cinq millions d'années, dix millions d'années seulement après la collision. L'évolution se poursuit à vive allure jusqu'à l'apparition des hominiens, il y a environ cinq millions d'années. Aujourd'hui, les humains, tout comme auparavant les dinosaures, sont les maîtres incontestés de la Terre dont ils occupent pratiquement toute la surface.

Notons, comme l'ont fait plusieurs biologistes, le caractère heureux qu'a représenté, pour les mammifères des périodes antérieures, la chute de la météorite de Chixculub : elle a éliminé leurs adversaires de près de deux cents millions d'années, leur laissant le terrain libre. S'ils avaient pu parler, ils auraient peut-être dit tout simplement : « Ouf ! enfin débarrassés ! »

48

Extinction de l'humanité ? (C)
La crise contemporaine

Au cours des dernières chroniques, nous nous sommes attardés sur plusieurs aspects de l'évolution de la vie sur Terre. Ces considérations sont importantes pour tenter de prévoir l'avenir des êtres vivants et, plus particulièrement, celui de l'humanité. Nous avons commenté les extinctions massives d'espèces vivantes qui ont entraîné des changements importants dans la distribution de la faune et de la flore. Les espèces qui survivent sont celles qui ont réussi à s'adapter aux conditions nouvelles. Les autres disparaissent à jamais.

Qu'est-ce qui nous permet aujourd'hui d'affirmer que nous sommes engagés dans une période d'extinction comparable aux plus graves que la biosphère ait connues ? Selon le programme des Nations unies pour l'environnement (PNUE), près d'un quart des mammifères (1 130 espèces) et 12 % des espèces d'oiseaux sont menacés d'extinction. De nombreux spécialistes s'attendent à une perte de 20 % à 50 % des espèces dans les trente prochaines années.

Les êtres humains prennent facilement pour acquis l'idée qu'ils sont le but, le chef-d'œuvre de l'évolution biologique, et qu'en conséquence ils sont exemptés de la destinée commune aux espèces vivantes. Ce n'est pas le message que nous recevons aujourd'hui des connaissances scientifiques. Les espèces qui perdurent sont celles qui arrivent à installer un rapport harmonieux avec les autres espèces de leur écosystème. J'aime bien prendre l'exemple des tortues. Elles existent depuis environ trois cents millions d'années et pourraient se perpétuer encore longtemps. Elles ne menacent personne, et personne ne les menace... Sauf nous.

Dans cette sixième extinction, les humains jouent trois rôles différents. Ils en sont la cause (par leur activité et leur industrie), les victimes possibles, et les sauveurs potentiels.

La crise contemporaine diffère de la précédente (celle qui a anéanti les dinosaures) sur plusieurs points. Relativement peu de temps après la chute de la météorite, les dommages de la cinquième extinction étaient entérinés et la récupération biologique pouvait commencer. Personne ne sait aujourd'hui quand et comment se terminera la sixième dont l'homme et la femme du poster du musée de Chicago pourraient bien être victimes.

Un scénario tragique s'impose à notre imagination. La disparition de l'espèce humaine, ou son affaiblissement au point qu'elle perdrait sa puissance de détérioration, stopperait vraisemblablement les dégâts.

Comme celui des dinosaures il y a soixante-cinq millions d'années, notre règne prendrait fin. La crise s'arrêterait alors d'elle-même. Comme les mammifères après la chute de la météorite, les baleines et les éléphants, s'il en reste, pourraient à leur tour dire : « Ouf ! »

49

Extinction de l'humanité? (D)
La détérioration de l'environnement

Alors que la sixième extinction d'espèces – tant animales que végétales – se poursuit activement, son spectre laisse planer une lourde menace : celle de devoir inscrire les humains sur la liste des espèces disparues

Peut-on envisager sérieusement une pareille perspective?

On connaît dorénavant assez bien les causes et les circonstances de cette extinction en cours. Elles vont d'une prédation excessive commise par les humains – chasses et pêches à outrance – à la fragmentation, voire à la disparition, des habitats : ceux, entre autres, des grands félins, qui ont besoin d'immenses territoires pour survivre.

Ces schémas de causalité ne peuvent pas vraiment s'appliquer à l'espèce humaine. Même les guerres les plus meurtrières n'ont jamais menacé l'ensemble de l'humanité. L'incidence de la mortalité à aucun moment n'a dépassé 2 % de la population.

Et si la plupart des animaux ne peuvent supporter la réduction de leur territoire, ces restrictions ne semblent pas affecter les humains. L'accroissement rapide du nombre des mégapoles de plus de dix millions d'habitants prouve à l'évidence la possibilité d'adaptation de l'espèce humaine à de grandes concentrations.

En fait, nous constatons que, loin de décroître, la population humaine continue à augmenter. En partie grâce aux progrès de la médecine, mais aussi et d'abord grâce à l'amélioration de l'hygiène qui a fait chuter la mortalité infantile. La durée moyenne de la vie humaine sur l'ensemble du globe ne cesse de s'allonger.

Pourtant, de nombreux signes montrent que l'avenir de l'humanité est problématique. Les pollutions de plus en plus graves de l'air et de l'eau accentuent les risques de dégradation de la santé humaine. Elles provoquent un taux croissant de malformations congénitales et affaiblissent les résistances aux maladies infectieuses. On trouve de plus en plus de molécules toxiques dans le sang humain et le nombre de spermatozoïdes dans le sperme est en diminution rapide depuis plusieurs décennies.

Dans le contexte contemporain où la disparité des richesses ne cesse de s'accroître, où plus d'un cinquième de l'humanité n'a pas accès à des installations sanitaires et boit au quotidien une eau polluée, on peut douter de l'efficacité des avancées de la recherche médicale pour enrayer ces fléaux. Depuis plusieurs années, l'absence de soins médicaux provoque le retour en force de maladies comme la malaria dont l'aire de répartition s'étend avec le réchauffement climatique. Et il faut encore ajouter l'extension terrifiante du sida dans les pays qui ne disposent pas des thérapies appropriées.

L'état de délabrement de l'ex-URSS est un exemple de situation contemporaine dont il faut craindre la généralisation. Après des décennies d'industrialisation sauvage sans le moindre souci écologique ou humanitaire, la durée de vie moyenne y est, en maints endroits, en régression.

L'assèchement de la mer d'Aral est un exemple particulièrement dramatique. Les pesticides, déversés dans les champs de coton irrigués par les eaux des fleuves détournés de leur destination, ont hautement pollué toute la région. Les poissons – principale nourriture des populations – sont contaminés. Les systèmes immunitaires sont sérieusement détériorés et les maladies contagieuses se propagent rapidement. Une fraction importante des enfants naît avec des malformations entraînant souvent une mort précoce. L'espérance de vie – une des plus basses du monde – continue à diminuer.

50

Extinction de l'humanité ? (E)
La menace bactériologique

Qu'est-ce qui pourrait provoquer l'élimination de l'espèce humaine, ou du moins son affaiblissement, à un point tel qu'elle cesserait d'être un agent majeur de détérioration de la biosphère, mettant ainsi un terme à la sixième extinction ?

Il faut ici évoquer le redoutable accroissement de l'efficacité des techniques et des engins de destruction utilisés pour la guerre. Au XXe siècle, les moyens considérables mis en œuvre pour améliorer la puissance des armes ont abouti à la mort de plusieurs dizaines de millions de personnes. Si Hitler avait obtenu la bombe atomique, ce nombre aurait sans doute été beaucoup plus élevé... Par la suite, une guerre nucléaire entre les USA et l'URSS, au moment de la période dite de la « terreur nucléaire » entre 1950 et 1980, aurait vraisemblablement réduit la population planétaire de façon radicale. On évalue à plus d'un milliard les victimes qui auraient décédé quinze minutes après les explosions et à plusieurs milliards celles qui auraient succombé aux effets secondaires. Plus de la moitié de l'humanité aurait pu disparaître...

Fort heureusement, l'époque de la terreur nucléaire

s'est terminée quand les chefs des deux superpuissances (Gorbatchev et Reagan), prenant conscience du danger et de la gravité de la situation, ont décidé, dans la décennie 80, d'arrêter cette monstrueuse et absurde escalade et de commencer le démantèlement des arsenaux nucléaires.

Aujourd'hui, de nouvelles et terrifiantes perspectives surgissent avec le développement des armes bactériologiques. Le spectre des épidémies provoquées – d'anthrax ou d'autres pestes – pèse lourdement sur l'avenir de l'humanité. La circulation des informations scientifiques, la facilité d'accès à des renseignements cruciaux, le développement des réseaux informatiques accentuent considérablement les risques. La possibilité d'une démarche réfléchie et raisonnable comme celle des deux superpuissances dans les années 1980 pour freiner le cours démentiel des événements n'existe peut-être plus à cause justement de la facilité relative de ces actions terroristes qui échappent à tout contrôle. L'humanité est de plus en plus à la merci de psychopathes qui, à l'image du Dr No de James Bond, pourraient disposer d'armes redoutables et les utiliser sans avoir d'états d'âme.

Dans ces dernières chroniques, nous avons répertorié les différentes causes qui pourraient affecter gravement la population humaine et provoquer son élimination. Les menaces les plus graves ne viennent pas de l'extérieur, mais des créations de l'intelligence humaine et de son incapacité apparente à gérer ses propres inventions. Nous retrouvons ici le mythe de l'apprenti sorcier. Mais sans l'existence rassurante d'un maître sorcier qui viendrait à son secours.

En somme…

Il ressort, à la lecture de ces textes, que la crise contemporaine résulte de la confrontation de trois facteurs majeurs :
– La prodigieuse efficacité du cerveau humain
– L'accroissement de la population mondiale
– La dimension limitée de notre planète.

Le deuxième facteur n'est pas sans rapport avec le premier. L'invention de l'agriculture, à partir du huitième millénaire avant Jésus-Christ, tout comme les innovations industrielles des siècles les plus récents, a été accompagnée de fortes augmentations de la population mondiale.

Depuis quelques décennies, cette coévolution des techniques et de la population se heurte de plein fouet au troisième facteur, celui des limites des ressources sur les espaces eux-mêmes forcément limités de notre planète.

« Nous autres, civilisations, nous savons maintenant que nous sommes mortelles », écrivait Paul Valéry, constatant l'effondrement des empires anglais et français suite à ceux de Ninive, de Babylone, des empires romain et égyptien établis quelques milliers d'années auparavant. Aujourd'hui, nous constatons avec stupeur que l'empire des humains sur la Terre pourrait également prendre fin.

Ainsi donc, loin d'être – comme nous avions tendance à nous en persuader – l'apothéose de l'évolution biologique et, à ce titre, d'être exemptés de l'élimination que nous infligeons à des milliers d'espèces, nous réalisons que nous sommes passibles du même sort, et qu'en bien des cas nous faisons tout ce qu'il faut pour y arriver…

Sur une planète minuscule, une espèce – la nôtre – disparaît : que représenterait, à l'échelle du cosmos, notre élimination ? Une simple anecdote dans l'immensité d'un univers peuplé de centaines de milliards de galaxies hébergeant des centaines de milliards d'étoiles et de planètes ? La « nature » ne verserait pas une larme…

J'aimerais défendre ici une opinion toute différente. Remontons le temps pour resituer cette question dans son contexte cosmique.

Les connaissances acquises en astronomie nous en disent long sur nos origines cosmiques. L'histoire de l'univers peut se raconter comme l'émergence de la complexité à partir de la purée torride et homogène des premiers instants suivant le big bang. Au fur et à mesure du refroidissement et sous l'effet des forces naturelles, des particules s'associent pour former des structures possédant des propriétés nouvelles.

Ainsi se constitue, à des moments que nous pouvons dater, des séquences de systèmes nouveaux : nucléons, noyaux atomiques, atomes, molécules et, sur notre planète – peut-être ailleurs –, cellules vivantes, organismes biologiques, écosystèmes... Chaque système est porteur de propriétés nouvelles résultant de la combinaison des éléments dont il est composé et qui génère des interactions avec ce qui constitue son environnement.

Dans la biosphère terrestre, ces propriétés émergentes engendrent des avantages adaptatifs précieux tout au long de l'évolution biologique quand se posent des problèmes d'alimentation et de survie. De ce point de vue, les humains que nous sommes, mal protégés par leur constitution physique (pas de carapace comme les tortues, pas de griffes acérées comme les félins, pas de dard comme les guêpes, et pas d'ailes pour fuir...), ont survécu grâce à leur intelligence, cette prodigieuse propriété émergeant de l'assemblage des plusieurs milliards de neurones de leur cerveau.

Loin de se contenter d'assurer sa survie grâce au développement de techniques sans cesse perfectionnées, le cerveau humain a donné naissance à une extraordinaire moisson d'activités. Les merveilles de la création artistique, musicale, picturale, littéraire, sont des prouesses du génie humain, tout comme le large éventail des connaissances scientifiques sur le cosmos dans toutes ses dimensions, grandes ou petites. Aucune autre espèce n'a mis les pieds sur la Lune, aucune autre n'a survolé Saturne, découvert les lois qui régissent la matière et l'histoire de l'univers. Que deviendraient les merveilleux fruits de la culture si nous cédions la place aux mouettes, aux rats ou aux insectes ?

Ce sont tous ces fabuleux trésors qui disparaîtraient si disparaissait l'humanité... Cela signifierait que l'accès à une si grande puissance mentale entraîne le risque de l'élimination de qui en est le détenteur. Et se trouverait confirmée l'idée que l'intelligence est un cadeau empoisonné.

«Mais là où il y a danger, croît aussi ce qui sauve», écrivait le poète allemand Hölderlin.

Des lueurs d'espoir apparaissent quand nous considérons l'évolution de la sensibilité humaine. Le massacre des pigeons migrateurs américains et des grands pingouins dans l'indifférence générale ne serait guère pensable aujourd'hui. Un respect croissant de la vie favorise une prise de conscience de la crise actuelle et s'accompagne de gestes positifs. Nous assistons à la naissance de mouvements de protection du vivant, des humains jusqu'aux animaux et aux fleurs sauvages. J'ai signalé la mise en œuvre de décisions salutaires, pour préserver la couche d'ozone, pour réduire l'acidité des pluies, pour restaurer avec quelques succès des équilibres naturels.

S'humaniser ou périr : ainsi pourrions-nous présenter l'enjeu auquel nous voilà confrontés. La sixième extinction pourrait se terminer non pas par une passivité qui nous mènerait à une inéluctable disparition, mais par une réaction vigoureuse qui, en nous décidant à stopper l'hécatombe des espèces que nous sacrifions actuellement, nous épargnerait nous aussi d'appartenir un jour à la liste des espèces disparues.

Alors nous pourrions pousser plus loin, parmi les étoiles et les galaxies, notre exploration de l'univers

Et, préservant et enrichissant notre culture, embellir le monde en multipliant sous toutes les formes les créations d'œuvres d'art. Et peut-être – qui sait – bénéficier un jour des apports culturels de civilisations extraterrestres... si elles existent !

«L'espoir, certes, demeure et chante à demi-voix», nous disait aussi Paul Valéry.

Compagnons de voyage
(en collaboration avec Jelica Obrénovitch)
Seuil, « Science Ouverte », 1992 (album illustré)
et « Points », n° 542 (nouvelle édition)

Dernières Nouvelles du cosmos
Seuil, « Science Ouverte », 1994
et « Points Sciences », n° 130 (nouvelle édition)

La Première Seconde
Seuil, « Science Ouverte », 1995
et « Points Sciences », n° 130 (nouvelle édition)

L'espace prend la forme de mon regard
Myriam Solal, 1995
L'Essentiel, Montréal, 1995
Seuil, 1999
et « Points », n° P 962

La Plus Belle Histoire du monde
(en collaboration avec Yves Coppens,
Joël de Rosnay et Dominique Simonnet)
Seuil, 1996
et « Points », n° P 897

Intimes convictions
entretiens
Paroles d'Aube, 1997
La Renaissance du livre, 2001

Oiseaux, merveilleux oiseaux
Seuil, « Science Ouverte », 1998
et « Points Sciences », n° 154

Noms de dieux
entretiens avec Edmond Blattchen
Stanké, Montréal, et Alice éditions, Liège, 2000

L'Univers
CD à voix haute
Gallimard, 2000

Hubert Reeves par lui-même
Stanké, Montréal, 2001

Sommes-nous seuls dans l'univers ?
(en collaboration avec Nicolas Prantzos,
Alfred Vidal-Madjar et Jean Heidmann)
Fayard, 2000
et « Le Livre de poche », 2002

Hubert Reeves, conteur d'étoiles
(documentaire écrit et réalisé par
Iolande Cadrin-Rossignol)
Office national du film canadien, 2002
DVD Editions Montparnasse, 2003

Mal de Terre
(en collaboration avec Frédéric Lenoir)
Seuil, « Science Ouverte », 2003
et « Points Sciences », n° 164

Chroniques des atomes et des galaxies
Seuil / France Culture, 2007

RÉALISATION : PAO ÉDITIONS DU SEUIL
IMPRESSION : S.N. FIRMIN-DIDOT AU MESNIL-SUR-L'ESTRÉE
DÉPÔT LÉGAL : MARS 2005. N° 80030-7 (85518)
IMPRIMÉ EN FRANCE